COLLECTION

BESCHERELLE

6000 verbes anglais

et leurs composés, formes et emplois

G. Quénelle D. Hourquin

Éditions Hurtubise HMH Ltée
1815, avenue De Lorimier
Montréal (Québec)
H2K 3W6 CANADA
Téléphone : (514) 523-1523
Télécopieur : (514) 523-9969

ISBN 2-89045-827-X

Réimpression - 1er trimestre 1998

Préface

Le **BESCHERELLE** des verbes français a rendu, c'est notoire, d'immenses services - et il continue d'en rendre - à des générations de professeurs et d'étudiants désireux de trouver un guide sûr dans l'incroyable dédale de nos conjugaisons multiples et variées. Pensons aux perplexités de l'étudiant non francophone (sans compter les incertitudes et les doutes des francophones !) en découvrant que le verbe français du premier groupe le plus anodin - le verbe « aimer », par exemple - ne compte pas moins de trente-cinq formes différentes pour l'ensemble de ses temps. Le verbe « aller », champion des verbes irréguliers, n'en a, il est vrai que deux de plus mais il donne à l'élève la joie de découvrir dans sa conjugaison pas moins de trois racines distinctes, tirées du latin (« ire » et « vadere » ayant fourni deux sources incontestables, mais la racine de l'infinitif « aller » restant à ce jour controversée quant à ses origines). Oui, sans aucun doute, le Bescherelle s'imposait !

La nécessité de concevoir un Bescherelle des verbes anglais était à priori moins évidente. Même si la linguistique de l'anglais et les études grammaticales quelque peu sérieuses n'ont pas de mal à montrer l'absurdité de la réputation de facilité parfois attribuée à la grammaire anglaise (et qui va parfois jusqu'à l'affirmation pour le moins surprenante que la langue anglaise n'a pas de grammaire !), il reste vrai que la morphologie du verbe anglais, comparée à celle du verbe français est d'une singulière pauvreté. Le verbe « like », comme le verbe « love », les deux principaux équivalents de notre verbe « aimer », n'a que quatre formes en tout et pour tout pour conjuguer tous les temps à toutes les personnes et pour produire les deux formes impersonnelles non conjuguées : « like », « likes », « liked », « liking ». Et il en est ainsi de la grande majorité des verbes, qui se contentent des trois suffixes « -s », « -ed » et « -ing ». Mais, dira-t-on, vous oubliez les verbes irréguliers, qui sèment la terreur chez nos élèves francophones, petits et grands. La belle affaire ! L'équivalent « go » de notre épouvantable verbe « aller » - avec ses trente-sept formes et ses trois racines - ne peut aligner en tout que cinq formes distinctes : « go », « goes », « went », « gone », « going ». Et le recordman toutes catégories « be » ne dépasse pas huit ! Quelle pauvreté ! Et quelle audace de vouloir nous apprendre à conjuguer les verbes anglais !

C'était apparemment une gageure et une entreprise un peu vaine.

ISBN **2-218-01499-8**

Il faut pourtant féliciter la librairie Hatier d'avoir voulu montrer qu'un guide de type Bescherelle pouvait être tout aussi utile pour traiter, en dépit des apparences trompeuses, de la grande complexité du verbe anglais. Il faut surtout se réjouir que l'on ait fait appel pour cela à la compétence reconnue d'un Gilbert Quénelle, angliciste sûr et auteur talentueux de nombreux ouvrages pédagogiques. Avec son collaborateur Didier Hourquin qui lui a apporté entre autres choses le précieux appui d'un traitement informatique des verbes anglais, il s'est d'abord appliqué à concevoir pour l'anglais une démarche sensiblement différente et bien adaptée aux réalités du système verbal anglais, tout en conservant les vertus de rigueur et d'exhaustivité de l'original (sans prétendre vouloir tout traiter).

Les utilisateurs de l'ouvrage seront reconnaissants aux auteurs d'avoir ainsi considérablement réduit la partie consacrée aux traditionnels « tableaux de conjugaison » qui sont, nous venons de le voir, beaucoup moins utiles ici que pour le français et d'avoir en revanche analysé avec soin, dans la première partie intitulée « Grammaire du verbe », les trois phénomènes fondamentaux qui expliquent la richesse de significations et la vraie difficulté du système verbal anglais, malgré la relative pauvreté morphologique : le jeu subtil des temps et des aspects, celui de la modalité (grâce au rôle important des auxiliaires modaux), le rôle éminent que jouent en anglais les très nombreux verbes à particule dont on trouve une liste dans l'inventaire alphabétique de la troisième partie.

Le grand mérite de Gilbert Quénelle et de Didier Hourquin est d'avoir réussi à rassembler dans un seul volume une riche information qui fait parfois l'objet d'ouvrages spécialisés pour traiter un seul des éléments (comme, par exemple pour les verbes à particule ou pour le temps et l'aspect). Ils l'ont fait en tenant compte d'un vaste public non spécialisé, simplement désireux de comprendre tout en apprenant à puiser dans le vaste réservoir des verbes anglais.

Le lecteur et l'utilisateur auront en outre le plaisir de constater que Gilbert Quénelle est resté fidèle à lui-même en considérant que langue et culture sont étroitement associées. C'est, comme il le dit joliment, dans un « jardin à l'anglaise » qu'ils sont invités à se promener avec les auteurs, choisissant ici et là non pas peut-être des fleurs mais « les outils que la langue met à sa disposition » et dont « le verbe est un des plus précis, et certainement le plus précieux ».

Denis Girard
Inspecteur Général
de l'Éducation Nationale

Sommaire

Voir sommaires détaillés pp. 14, 79 et 109.

Lexique

des termes définissant les catégories de verbes

Verbes simples formés d'un seul mot, nés d'un radical ancien :

Ex. : *aim, eat*

Verbes composés formés par :

- Adjonction d'un préfixe et/ou d'un suffixe.

  Ex. : *awake - rechristen* (voir page 70)

- Association avec une particule séparée (adverbe, préposition, adjectif ou nom).

  Ex. : *blow up, blow into, blow open...* (voir page 50)

Verbes à particules (*phrasal verbs*) (voir verbes composés).

Verbes réguliers : Les deux formes caractéristiques du passé sont en *-ed*, avec éventuellement quelques modifications orthographiques (cf. page 89).

Ex. : *aim - aimed - aimed*

Pour la prononciation du *-ed* final voir page 89.

Verbes irréguliers : Trois formes semblables ou différentes sont nécessaires pour caractériser l'infinitif, le prétérit et le participe passé.

Ex. : *read - read - read / eat - ate - eaten*

Comment utiliser ce livre

Le Bescherelle n'est ni un dictionnaire ni un livre de grammaire classique, c'est **un outil de travail complémentaire** qui vise à susciter une réflexion. Son utilisation permet de mieux comprendre la grammaire du **verbe anglais** comme le **produit d'un système de pensée différent du système de pensée français.**

En anglais, **un petit nombre de formes** verbales permet d'exprimer **un grand nombre de sens**. En effet, la personne qui parle (le locuteur) peut nuancer une même forme selon la durée relative de l'action (« aspect ») et selon son état d'esprit du moment (« modalité »).

De plus, grâce à l'emploi de particules, l'anglais peut multiplier à l'infini les formes et les sens à partir des formes de base.

La « piste du sens » remonte le courant du livre de la page 110 à la page 16 et passe par quatre étapes.

1. La première étape consiste à **repérer le verbe visé** dans **l'index général** (pages 110 à 179).

L'index général comprend tous les verbes (6 000 environ), réguliers, irréguliers, dont ceux qui sont susceptibles de s'associer à une particule.
Les symboles qui accompagnent chaque verbe distinguent ces 3 catégories. Ils précisent aussi le groupe des verbes irréguliers auquel il appartient éventuellement, s'il peut devenir un « verbe à particule », et les possibilités d'association avec les particules. Ils donnent enfin des indications sur la transitivité ou l'intransitivité des verbes, sur leur type de complémentation et sur les modifications orthographiques qu'il peut éventuellement subir.
A partir des 6 000 verbes de la liste, on parvient ainsi à plus de 13 000 verbes de formes différentes, chacun pouvant avoir de nombreux sens.

Cette grande diversité exclut la possibilité d'introduire toute traduction des verbes dans l'index (se reporter à un dictionnaire en cas de besoin).

2. **Les listes secondaires** fournissent ensuite un **complément d'information** sur certains verbes :

- Une liste alphabétique des verbes irréguliers (p. 186) qui renvoie aux tableaux de formation.
- Une liste des verbes à complémentation spéciale (p. 181) qui renvoie aux pages de la grammaire où est expliqué le fonctionnement des compléments du verbe.
- Une liste des verbes composés (p. 193) qui dresse l'inventaire des verbes pouvant s'associer à chaque particule.

3. L'étape suivante passe par la consultation des **tableaux de conjugaison** de la deuxième partie (pages 78 à 103).

Ils couvrent la conjugaison de tous les verbes — ordinaires et auxiliaires, réguliers, irréguliers et composés —, classent toutes les formes verbales possibles et renvoient, en ce qui concerne le sens, à la première partie.

4. La dernière étape, enfin, mène au **sens**. La partie « grammaire du verbe » (pages 16 à 77), aborde en effet, **les caractéristiques sémantiques du verbe choisi.**

Cette partie permet d'analyser avec une précision suffisante **la valeur des temps et des aspects du verbe** anglais en général et de ses auxiliaires ordinaires et modaux. Elle explique aussi **la formation** et **le sens des verbes composés,** la place et le sens des **principaux types de compléments** du verbe ainsi que l'importance de la forme passive.
Chaque chapitre obéit le plus souvent à une même **structure par doubles pages**. Après quelques définitions et généralités, les sujets sont traités sous forme de **tableaux** synthétiques, souvent illustrés de graphismes, sur la page de gauche, accompagnés d'**annotations** et de **commentaires** sur la page de droite.
Le texte est articulé en **paragraphes courts et numérotés** auxquels il est facile de se reporter. On y trouve de nombreuses références à des points étudiés dans d'autres chapitres, ainsi qu'aux tableaux de conjugaison de la deuxième partie et aux listes de la troisième.

Le bon usage du Bescherelle devrait donc permettre, grâce à une analyse progressive des formes des verbes anglais, de déboucher sur leurs sens.

Les anglais des Anglais

Comprendre l'anglais implique souvent de comprendre les Anglais, ou, plus largement, les anglophones et particulièrement leur pragmatisme.

L'abstrait et le concret

Les idées et les faits :

La grammaire anglaise, c'est un peu comme un « jardin à l'anglaise », spontané, naturel, tandis que la grammaire française peut être comparée à un « jardin à la française », harmonieux, symétrique.
A Hyde Park, les allées serpentent entre les bosquets et les arbres plantés « au hasard ». Aux Tuileries les allées s'alignent dans la savante perspective d'une nature domestiquée. Les deux jardins résultent d'un travail équivalent. Mais ici, comme dans le domaine de la langue, alors que les **Français** se placent avec ambition sur le plan des **idées**, les **Anglais** restent avec respect sur celui des **faits**.

Le nom et le verbe

Le Français, aux Tuileries, se servira du **nom abstrait** « promenade » ; et, s'il faut préciser, ajoutera des compléments : « promenade à pied, à cheval (ou à bicyclette), en voiture, en bateau ».
L'Anglais, à Hyde Park, dispose de **verbes concrets** : *walk, ride, drive, sail,* directement utilisables.

La règle et l'expérience

L'usage collectif : *"As we very well know..."*

Alors que le droit français s'appuie sur un code, le droit anglais se réfère à **l'usage** et à la tradition et non pas à une règle qui n'a jamais qu'une portée limitée. Pourquoi dit-on *go to school* mais *go to* ***the*** *theatre* ; *fail* ***to do*** *something* mais *succeed* ***in doing*** *something*... Aucun *native speaker* ne l'expliquera : Il n'y a pas de raison, « c'est comme ça, tout le monde dit ça ». Les verbes appelés « irréguliers » par un étranger sont des verbes comme les autres, pour les Anglais.

Le choix de chacun : *"I say!"*

L'anglais reste aussi la **responsabilité** de chaque Anglais qui choisit à tout moment dans le patrimoine linguistique commun, ce qui lui convient.

Veut-il vous demander si vous avez de l'argent, peu ou prou, une quantité quelconque, alors que, par exemple, c'est interdit, il dira :

*Have you **got any money** on you?*

Si ce qui l'intéresse c'est que vous en ayez assez pour les besoins du moment, il dira plutôt :

*Have you **got some money** on you?*

Les deux formules sont « correctes ». Le choix dépend du point de vue de celui qui parle (*"the Speaker's Point of Primary Concern"*, comme l'explique le grammairien R.A. Close) : selon le « niveau de langue » (populaire, familier ou soutenu ; langue parlée ou langue écrite), selon la situation (entre amis ou au travail ; entre jeunes ou vieux) et selon ses propres sentiments au moment où il parle, l'Anglais - et celui qui étudie l'anglais - choisit les « outils » que la langue met à sa disposition.

Le verbe est l'un des plus précis, et certainement le plus précieux.

Le verbe anglais

1. Le verbe anglais n'utilise que peu de formes différentes... (1)

1.1 Un verbe dit « régulier » n'a que quatre formes :

work works worked working

Un verbe dit « irrégulier » ou « fort » n'en compte que...

trois	*cut*	*cuts*			*cutting*
quatre	*become*	*becomes*	*became*		*becoming*
ou cinq	*begin*	*begins*	*began*	*begun*	*beginning*

1.2 Mais il suffit rarement d'un seul de ces mots pour exprimer les personnes, les temps et les modes.

A côté des mots de base s'introduisent les formes de *be* et de *have* et de *do* :

I do work, I don't work, do I work?, I did work, I didn't work, did I work?, I was working, I have worked. (2)

Parfois ensemble :

I have been working.

ainsi que les modaux : (3)

I can work, I may be working then, I must have been working then.

Cette relative complexité des formes est cependant bien moins grande qu'en français où, pour ne prendre que l'exemple des verbes dits du premier groupe (en -er), il faut 27 à 39 formes différentes pour exprimer l'action.

(1) Voir pages 79 à 107, « Tableaux de formes ».
(2) Voir pages 29 à 37, « Auxiliaires ordinaires ».
(3) Voir pages 38 à 49, « Auxiliaires modaux ».

2. ... mais il peut exprimer une grande variété de sens.

Pour les analyser, les grammairiens utilisent trois critères :

2.1 Temps grammatical et temps chronologique. (4)

Ran, par exemple, prétérite de *run*, est l'un des « temps grammaticaux » utilisés au « passé » (« temps chronologique »).
Il n'y a pas toujours en anglais de correspondance rassurante entre ces deux « temps ».
On peut par exemple utiliser un temps grammatical du présent pour se référer au futur :

What are you doing next Sunday?
Que faites-vous dimanche prochain ?

Alors qu'il n'existe que trois temps chronologiques principaux
(passé ⟶ présent ⟶ futur),
il y a en anglais une demi-douzaine de temps grammaticaux pour se référer au seul passé.

Cette correspondance n'existe pas non plus en français, mais le système fonctionne différemment.

2.2 Les aspects.

C'est la **durée relative de l'action,** ou le fait qu'elle se répète ou non, ou encore qu'elle vient de commencer, etc. (4)

Par exemple, le *present continuous* (ou « forme progressive » = « je suis en train de... ») est utilisé, entre autres emplois, pour décrire l'action en cours, le *simple present* sert à décrire une action qui a lieu habituellement.
Mais le seul présent de l'indicatif suffit en français pour traduire ces deux formes :

I am writing a grammar book.
temps grammatical : *present continuous.*
J'ÉCRIS une grammaire.

I write a few pages every day.
temps grammatical : *simple present.*
J'ÉCRIS quelques pages tous les jours.

2.3 La modalité.

Ce terme désigne **l'attitude d'esprit de celui qui parle**, sa manière de voir à un moment donné.
L'Anglais dispose par exemple de bien des nuances lorsqu'en observant le ciel, il va choisir entre *it can rain, it may rain, it might rain, it should rain, it will rain... it will be raining, it is* ou *it isn't likely to rain.*

(4) Voir pages 16 à 27, « Temps et aspects ».

3. Le verbe anglais est proche du réel

3.1 Lexicalement l'anglais est d'une grande richesse dans le domaine du concret. Le verbe, en particulier, constitue un outil de précision pour représenter le réel le plus exactement possible.

Au chapitre de la lumière, par exemple, l'Anglais choisit entre les verbes *beam, blaze, dazzle, flash, flare, flicker, glare, gleam, glimmer, glint, glisten, glow, radiate, scintillate, shimmer, shine, twinkle...*
Pour les traduire en français, il faut associer au verbe « briller » des noms et des adjectifs. Par exemple, *glare* évoque un éclat éblouissant, *gleam* une lueur, un reflet, un miroitement. *Glimmer* est plus faible que *gleam*. *Glint* évoque le reflet du métal, un trait de lumière, *glisten* le miroitement d'une surface humide, *glow* le rougeoiement du feu...

3.2 Grammaticalement la description est encore affinée par l'utilisation de petits mots, particules verbales, qui permettent de nuancer davantage le sens. (5)

Pour ne reprendre que l'exemple du mot « promenade » donné plus haut, on voit se former de nombreuses nuances :
walk about (aller et venir), *walk across* (traverser), *walk away* (s'éloigner) un peu comme *walk off*, et *walk in* (entrer quelque part) qui s'oppose à *walk out*.

Comme l'écrit R.A. Close, à l'intention des étudiants étrangers :

"English grammar is first and foremost a question of fact."

(4) Voir pages 16 à 27, « Temps et aspects ».
(5) Voir pages 50 à 71, « Verbes composés ».

Index
des sujets traités

Les sens
Grammaire du verbe

Sommaire

Symboles employés dans les tableaux.

 Formes simples des conjugaisons — Action générale ou permanente

□□□ Action répétitive

 Forme progressive

|||| Prolongement de l'action avant ou après l'instant analysé

//// Espace du présent

—●→ (p) Instant précis d'une action

Temps et « aspects »

1. GÉNÉRALITÉS

Aussi bien dans le cadre de la chronologie que dans le domaine du sens, le système est complexe et très différent du système français.

Pour bien manier les temps en anglais, il faut distinguer les notions suivantes :

1.1 *Time*, le temps qui passe

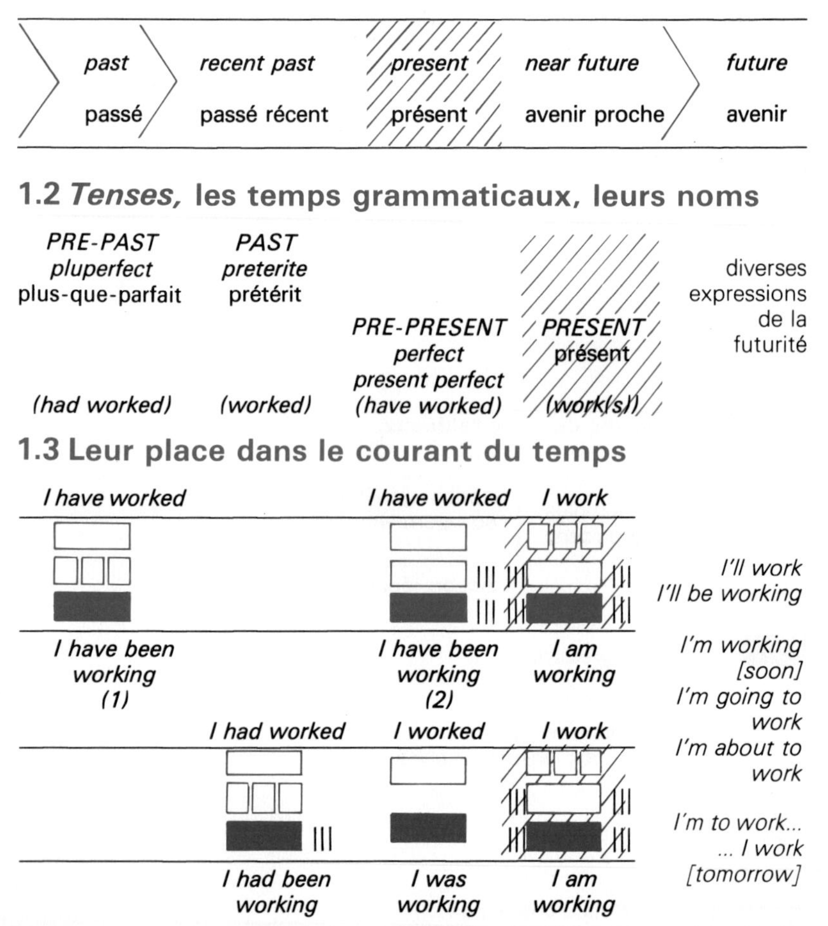

1.1 C'est le temps chronologique. Les Anglais sont sensibles à la durée du présent, qui s'enracine dans le passé proche et se prolonge dans l'avenir immédiat. **D'où les hachures dans les schémas ci-contre.**
De même ils ressentent la relativité des passés plus ou moins lointains, plus ou moins durables et plus ou moins révolus.
L'avenir leur apparaît à de nombreux degrés de probabilité ou de certitude. (Voir, à ce sujet, l'emploi des auxiliaires modaux, page 38.)

1.2 Attention : pour désigner ces temps anglais on emploie, en français, soit des traductions (plus-que-parfait, présent), soit une équivalence (prétérit), soit une expression anglaise *(present perfect)*.

1.3 Les temps grammaticaux - *tenses* - ne correspondent qu'approximativement aux périodes successives du temps chronologique - *time* -.

• En particulier, on peut dire que l'**anglais n'a pas de futur**, parce qu'il n'existe pas de forme spécialisée, mais une demi-douzaine de moyens d'exprimer « la futurité ». Selon les circonstances, on dira : *I'll write to John, I'll be writing, I'm writing soon, I'm going to write, I'm about to write, I'm to write,* ou même *I write tomorrow*. Seules les deux premières tournures ont recours à *will*, auxiliaire modal, qui prend alors une valeur temporelle. (Voir les auxiliaires modaux, page 38.)

• D'autre part, ***le present perfect***, tourné vers le présent, peut couvrir tout le passé. Il s'emploie dans deux cas :

(1) l'action ou l'événement s'est produit dans le passé, à une date inconnue ou sans importance, ou encore s'il y a eu répétition de la même action ;

(2) l'action ou l'événement, commencé dans le passé, n'est pas terminé. (L'aspect progressif peut s'ajouter.)

• **Le prétérit,** simple ou progressif, s'emploie dès que le moment est déterminé, que ce soit dans un passé relativement proche ou lointain.

• **Le plus-que-parfait,** simple ou progressif, se comporte, par rapport à un point « p » du passé, comme le *present perfect* par rapport au présent.

1.4 Formes simples et progressives

Dans ces tableaux et ceux qui suivent :

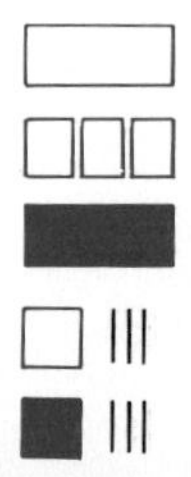

• Les formes simples mentionnent l'événement ou l'action d'une manière plus générale, plus permanente,
ou expriment leur aspect répétitif.

• Les formes progressives les actualisent davantage. Elles ajoutent « l'aspect », la façon dont ils sont considérés par celui qui s'exprime.

• Beaucoup de ces formes peuvent exprimer un autre aspect : le prolongement de cette action ou de cet événement.

2. *PRESENT* (temps chronologique) (1)

TEMPS GRAMMATICAL	ASPECTS	

2.1 *PRESENT CONTINUOUS*

I am working. Je travaille maintenant. Je suis en train de travailler.	Ici, aspect « progressif » de l'action montrée concrètement dans sa durée.	(2) (9)
He must be working too. Il doit travailler lui aussi.	Aspect qui, comme tous les aspects, peut donc se combiner avec les modaux.	(3)

2.2 *SIMPLE PRESENT*

I work every day. Je travaille tous les jours.	Aspect répétitif de l'action, habitude.	(4) (9)

He works hard. Il travaille dur.	Attitude, état permanent.	(5)
"Birds of a feather flock together." « Qui se ressemble s'assemble. »	Vérité éternelle.	(6)
The plane leaves at 10. L'avion part à 10 heures.	Règlement, usage.	(6)
I shall go when he comes. Je partirai quand il viendra.	Événement prévu dans le futur.	(7)
I think I love you. Je crois que je vous aime.	Processus mental.	(8)

(1) Le ***present time*** s'étend pour les Anglais **bien avant et bien après** ce qu'en français on nomme le **moment présent**, c'est pourquoi les formes pouvant exprimer le *present time* sont très nombreuses.

(2) Plusieurs adverbes ou expressions adverbiales peuvent préciser le temps : *this week*, etc. Il s'agit en tous cas d'une **relativement longue action en cours**, dont on ne sait ou ne précise ni quand elle a commencé ni quand elle s'achèvera. On s'occupe ici du moment présent. Mais voir (9).

(3) Au sens précédent s'ajoute une nuance de modalité. Cf. *he might... he could... he should...*, etc. (Voir auxiliaires modaux p. 38.)

(4) Je suis légèrement à l'écart par rapport au moment présent. Je généralise. Cette forme s'emploie souvent avec *every*, avec adverbes et expressions adverbiales comme *often, never, always, on Mondays*, etc. ; ou dans des cas comme *Shakespeare says...*

(5) Je me place davantage en retrait par rapport au présent. L'action a plus d'importance que le moment.

(6) Il s'agit de faits qui **ne dépendent pas de moi**, je n'ai pas d'influence sur eux.

(7) Le temps de la subordonnée temporelle est le présent — ou le *present perfect,* *I'll go with you when you've finished.*

(8) *Love, like, believe, know, think, remember,* etc., expriment des processus mentaux, indépendants de la volonté. **On ne peut pas dire** *I am loving, I am believing, I am knowing,* etc., sauf quand l'un de ces verbes prend une valeur de verbe d'action :

What are you doing? — I'm just thinking about you.

De même *hear* et *see* (entendre et voir), exprimant une perception involontaire, n'auront pas de forme continue, contrairement à *listen to* et *look at* (écouter et regarder).

(9) Tant est grande la souplesse de l'anglais que deux usages très « corrects » paraissent contredire les « règles » (ou plutôt les usages courants) décrits en 2 et en 4. (Voir « le verbe anglais » 2.3.)
Le *present continuous* peut aussi en effet être utilisé quelquefois par exemple pour décrire — avec une nuance de regret ou de reproche — une action habituelle :

You're always saying the same thing.
Tu répètes sans arrêt la même chose.

Le *simple present* peut aussi être utilisé pour décrire une action en cours dans le présent, à condition qu'elle soit plutôt brève :

I put down my pen and get up : someone's knocking at the door.
Je pose mon stylo et je me lève : on sonne à la porte.

Le *present continuous* donnerait ici l'impression de voir un film au ralenti.

3. *FUTURE* (temps chronologique) (1)

N.B. Différents adverbes ou compléments de temps : *tomorrow, next week*, etc. sont évidemment possibles.

TEMPS GRAMMATICAUX	ASPECTS

3.1 *PRESENT CONTINUOUS*

I am working early ... Je travaille(rai) tôt ...	Avec contexte temporel. Avenir envisagé comme réalisé. (2)

3.2 *TO BE GOING TO*

I am going to work early ... Je vais travailler tôt ...	Déclaration d'intention. (2)

3.3 *PRESENT SIMPLE*

I get up early and work hard ... Je me lève tôt et je travaille dur ...	Avenir décidé, considéré comme imminent. (3)

3.4 AUXILIAIRES MODAUX : *WILL*, ETC.

We'll be working ... Nous travaillerons ...	Même sans contexte temporel, action actualisée. (4)
We'll work ... Nous travaillerons ...	Action simplement mentionnée.

Voir « Auxiliaires modaux », 3. (5)

(1) La zone éclairée par ce temps chronologique est d'abord **très proche du présent** : il en emprunte les formes pour les utiliser dans un contexte temporel - la date est précisée - (2), (3).
Puis, l'auxiliaire *will* (4) exprime que « cette action future est sous contrôle humain * ».
Enfin grâce à toutes les autres ressources de la modalité, il peut colorer l'avenir des différentes nuances de la probabilité ou de la certitude (5).

(2) Les deux formules sont issues du présent, elles utilisent une forme continue qui **actualise le sens**, et rendent plus présente l'action envisagée.

(3) La formule me montre plus en recul. La forme simple, comme pour les autres temps, envisage **l'action** comme **imminente** puisqu'elle paraît **fermement décidée**, mais d'une **manière plus abstraite**, comme si un autre avait pris la décision.

(4) La réalisation de l'action peut être lointaine. Des deux formules, la forme en *ing* est, bien sûr, la plus actualisée, la plus concrètement imaginée. La seconde mentionne l'action comme **devant se réaliser**. *Will* est dans les deux cas un simple auxiliaire du futur. (Voir « Auxiliaires modaux, pp. 42-43 et Tableau de formes p. 84.)

(5) Les séries *we can work, we may work, we might work, we can be working, we may be working*, etc., placées dans un contexte temporel (avec *early, to morrow,* etc.) prennent les valeurs indiquées dans « Auxiliaires modaux », 4.5.
- Parmi d'autres expressions traduisant la futurité : *I'm to work* ... et *I have to work* ... sont à classer également dans le cadre de la modalité (voir p. 30, note 11, et p. 39, 2.3).

* Cf. D. Girard *Grammaire raisonnée de l'anglais,* Hachette.

4. *PRE-PRESENT* (temps chronologique) (1)

TEMPS GRAMMATICAL : *PRESENT PERFECT*	ASPECTS

4.1 *RECENT PAST*

I've just been working hard on that subject.
Je viens de travailler dur à ce sujet.

L'événement est encore « tout chaud ».

I've just worked on that subject.
Je viens de travailler à ce sujet.

L'événement « refroidit » déjà. (2)

4.2 *PRE-PRESENT CONTINUOUS*

I have been working...
(... for 2 weeks, since 5 o'clock...).
Je travaille depuis...

L'action est en train de se vivre dans sa chaude actualité.
Elle se continue. (3)

4.3 *PRE-PRESENT SIMPLE*

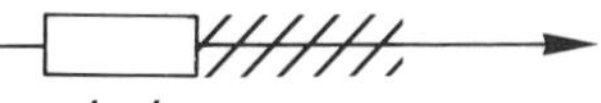

I have worked...
(... for 2 weeks, since 5 o'clock...).
Je travaille depuis...

L'action a commencé dans le passé, elle n'est pas terminée, mais la description est plus froide. (4)

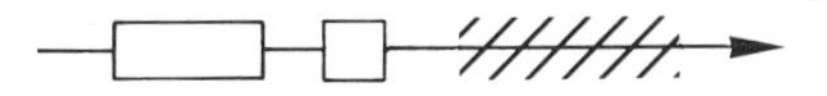

I have visited San Francisco...
J'ai visité San Francisco...

L'action s'est produite à une date plus ou moins éloignée dans le passé et indéterminée. (Les conséquences sont encore présentes.)

... several times.
... plusieurs fois.

L'action peut être répétée. (5)

(1) La zone couverte par ce temps se confond le plus souvent avec le présent, parce que **l'action se continue dans le présent** ou parce que ses **conséquences durent encore,** même quand elle a eu lieu dans un lointain passé, à une date indéterminée (inconnue ou volontairement non précisée).

(2) Dans les deux cas, il s'agit d'un événement très récent, et terminé. Mais l'observation de ces deux phrases peut faire mieux comprendre la différence entre la forme continue et la forme simple. L'adverbe *hard* s'accorde mieux avec la première phrase par laquelle je m'engage davantage dans l'action. Dans la seconde, je me contente de mentionner le fait.

(3) La durée de cette action en cours est souvent précisée par un complément de temps. Remarquer que *for* introduit une mesure de temps (ici *weeks*) pour évaluer cette durée, tandis que *since* se réfère à une date précise (ici *five o'clock*, mais on aurait pu utiliser une proposition de temps obligatoirement au prétérit : *I've been working since you left,* je travaille depuis que tu es parti - cf. tableau PAST, page 24).

Remarquer aussi que le français, pour traduire ces informations, emploie le présent : «je travaille depuis deux semaines/depuis cinq heures; voilà/cela fait/il y a deux semaines que je travaille...».

(4) L'action est montrée d'une manière plus abstraite qu'avec la forme continue : bien que la durée soit précisée, elle compte moins que l'action elle-même.
C'est encore le présent qui traduit cet emploi.

(5) Cette fois, ce qui intéresse, c'est que l'action ait eu lieu, c'est tout.
A la question
- *Have you met that man?* il y a deux réponses :
- *Yes I have* (ou *No I haven't*), réponse affirmative ou négative, sans précision.
- *Yes I did* (... à une date qu'on peut préciser).

La question
Did you meet that man? impliquerait qu'on ne peut plus le rencontrer (il est mort ou s'est éloigné définitivement).
Voir à ce sujet le tableau PAST, page 24.

Remarquer aussi l'emploi obligatoire du *pre-present* dans

It's the first time I've met him.
C'est la première fois que je le rencontre *(I've never met him before).*

ou dans

It's the second time I've met him (sous-entendu *I've already met him*).

5. *PAST* (temps chronologique) (1)

TEMPS GRAMMATICAL : *PRETERITE* — **ASPECTS**

5.1 *PAST SIMPLE*

- *What did you do then?*
  Qu'avez-vous fait alors ?
- *I worked.*
  J'ai travaillé.

Fait entièrement révolu qui s'est produit à un moment déterminable. (2)

I knocked at the door, I opened it, I saw him...
Je frappai à la porte, je l'ouvris, je le vis...

« Temps de la narration. » (3)

5.2 *PAST CONTINUOUS*

I was working then
Je travaillais à cette époque
... *when you came in.*
... quand vous êtes entré.

L'action est montrée dans son déroulement. (4)

He was wearing a blue suit.
Il portait un costume bleu.

« Temps de la description. » (5)

He told me he was going on holiday in a week's time.
Il me dit qu'il partait en vacances dans la semaine.

Futur dans le passé. (6)

5.3 MODALITÉ (7)

(1) A la différence du *pre-present* le *past* est toujours complètement séparé du présent, qu'il en soit proche ou éloigné.

Dans sa forme simple, son nom anglais *simple past* ou *past simple*, ne doit pas le faire confondre sans nuance avec le passé simple français, qui est loin de le traduire dans tous les cas. Pour éviter cette confusion, on lui donne le plus souvent en français le nom de « prétérit ».

(2) La durée du fait n'intéresse pas ; elle n'est d'ailleurs pas nécessairement courte :

When I was a boy I lived in Great Britain.
Quand j'étais tout jeune, je vivais en Grande-Bretagne.

La période concernée ici est relativement longue.
On traduira par l'imparfait ou le passé composé.

Ce qui compte, c'est la séparation de l'événement par rapport au présent. Cet éloignement peut être exprimé par un adverbe ou une expression adverbiale, ou une date. On utilise souvent des mesures de temps, par exemple *two months ago* et ce dernier mot exprime fort bien que le temps « s'en est allé » (dans *ago* il y a *go*).

Une coloration affective peut aussi teinter le passé grâce à une expression comme *"used to"* :

I used to live there!...
J'habitais là... je n'y habite plus... (hélas !)

Voir « Auxiliaires modaux », 3.6.

(3) Succession d'actions plutôt rapides qui ponctuent un récit. Par rapport au français, le *past* peut être traduit par le passé défini (passé simple) ou par le passé composé qui remplace souvent le passé simple dans la langue d'aujourd'hui. En sens inverse, le « présent de narration » français peut se traduire par un *present* anglais, mais aussi par ce *past* de narration.

(4) De même que pour le *past simple* le moment de l'action peut être précisé par un complément de temps *(then)* mais aussi par une proposition de temps avec un *past simple* (contraste entre une « action-trait » et une « action-point »).

(5) A cause de l'effet de durée, de permanence, le *past continuous* est possible. Mais on emploiera plutôt la forme simple dans *The house stood on the hill*, par exemple, à moins d'ajouter une nuance affective *(My parents' house was standing on that hill, you know)*. Dans les deux cas, traduire par l'imparfait.

(6) Style indirect ; déplacement dans le passé de la structure 2 décrite dans le cadre du futur. Au style direct : *"I'm buying a new car," he said...* Sorte de présent dans le passé.

(7) Les possibilités du « prétérit modal » sont nombreuses et les nuances subtiles. Par exemple, le *past* est d'usage après *as if, as though*, ou encore *It's time we left* (il est temps que nous partions) ou *I wish he came* (je voudrais qu'il vienne). Le subjonctif français correspond bien à ces attitudes subjectives.
Voir « Auxiliaires modaux, 3.

6. *PRE-PAST* (temps chronologique) (1)

TEMPS GRAMMATICAL : *PLUPERFECT*

ASPECTS

6.1 *RECENT PRE-PAST*

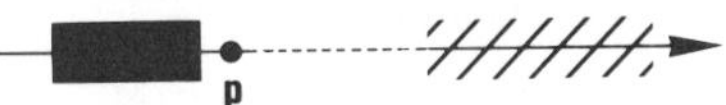

I had just been working hard on the subject (when...).
Je venais de travailler dur à ce sujet (quand...)

Événement plus « chaud ». (2)

I had just worked on the subject.
Je venais de travailler à ce sujet.

Événement seulement mentionné.

6.2 *PRE-PAST CONTINUOUS*

I had been working for 2 weeks...
Je travaillais depuis 2 semaines...

... when our teacher told us...
... quand notre professeur nous dit...

L'action est rappelée dans sa durée par rapport à un événement révolu. (3)

6.3 *PRE-PAST SIMPLE*

I had worked for 2 weeks...
Je travaillais depuis 2 semaines.

L'action se poursuit.
Elle n'est pas actualisée. (4)

I had worked before.
J'avais travaillé auparavant.

Action indéterminée. (5)

• p = point de référence dans le passé.

(1) On dit aussi *pluperfect* et en français « plus-que-parfait », ce qui peut entretenir une confusion puisque nous n'avons pas de « parfait » correspondant au *perfect* anglais.

Il est plus clair d'appeler ce temps *pre-past*, puisqu'il joue par rapport au *past* le rôle que joue le *pre-present* par rapport au *present*.

Le *pre-past* est donc très souvent utilisé dans le style indirect, pour rapporter les paroles d'autrui. Il remplace le *perfect* et le *past* :

- style direct : *"I've already met that man; I met him in 1951."*
- style indirect : *He said (that) he had already met that man; he had met him in 1951.*

(Voir « Complémentation », page 72.)

Les règles d'emploi sont dans l'ensemble les mêmes que pour le *pre-present*, puisqu'on opère un simple « décalage » par rapport à un point de référence dans le passé.

(2) A rapprocher du « passé immédiat » par rapport au présent.

(3) Comme pour le *pre-present*, la durée de l'action est souvent précisée par un complément de temps *(for two weeks, since five o'clock...)* ou une référence à un événement passé qui est évoqué tout naturellement au *past* (prétérit).

(4) Comme pour les autres temps, le choix de la forme simple et de la forme continue dépend du point de vue de celui qui s'exprime.
Comparer :

The tree that had stood there for years suddenly crashed.
(Simple information.)

et

The dear old tree that had been standing there...
(L'information se colore d'une tonalité affective.)

(5) L'événement se recule encore dans le passé. L'action est achevée, le moment indéterminé (par ignorance ou parce qu'on juge inutile de le préciser).

Auxiliaires ordinaires

1. DÉFINITION

Les trois verbes *BE, HAVE* et *DO* correspondent à trois **valeurs essentielles** de la vie humaine : « l'être », « l'avoir » et « le faire ».

Ils ont plusieurs emplois communs, que l'on peut classer selon une progression allant de « l'auxiliariat » au « plein emploi » :

- en tant qu'auxiliaires : ils sont indissociables de l'emploi d'un verbe ordinaire (1).
- en tant que suppléants : dans certains cas ils peuvent remplacer un verbe ordinaire ou un autre auxiliaire, ce que nous appellerons « emplois divers ».
- verbes à part entière : ils se conjuguent comme des verbes ordinaires dits « irréguliers », ils peuvent aussi s'associer à de nombreuses particules adverbiales (2).

Be et *have* peuvent exprimer une modalité (3).

2. TABLEAU GÉNÉRAL

EMPLOIS	***BE***	***HAVE***	***DO***
Auxiliaire	- forme progressive - futur - passif	formation des temps composés	conjugaison des verbes ordinaires
Divers	• voir *have* • *there is...* • *it is...*	• voir *be* • *have* et *make* • *have* et *take*	• remplacement • renforcement
Verbe à part entière	emploi normal : verbe d'état	emploi normal : possession	emploi normal : faire
	modalité	modalité	

(1) Cf. tableaux des formes, page 79.
(2) Cf. « Verbes composés », pages 50-71 et index général.
(3) Cf. « Auxiliaires modaux », pages 38-49.

3. *BE*

VERBE AUXILIAIRE	FORME PROGRESSIVE *I am playing, she was working, they'll be travelling.* (1) FUTUR *He is leaving to-morrow.* — Il doit partir demain. *He is going to leave.* — Il va partir. (2) PASSIF *All the vines were killed ten years ago.* (3) Tout le vignoble a été détruit il y a dix ans. *I was born in 1914. Her baby will be born by the end of next month.* Je suis né en 1914. Son bébé naîtra d'ici la fin du mois prochain.
EMPLOIS DIVERS	*BE* ET *HAVE* *He is gone; the door is locked.* (4) Il est parti : la porte est fermée à clé. *He has just gone.* Il vient de partir. *THERE IS...* *There is a small backgarden.* (U.S. *backyard*) (5) Il y a un petit jardin à l'arrière de la maison. *Shouldn't there be a policeman here?* Ne devrait-il pas y avoir un policier ici ? *There's one Mr. Jones on the phone for you.* (6) Il y a un certain Mr. Jones qui vous demande au téléphone. *There's Mr. Jones, near the telephone box.* (U.S. *booth*) (7) Voilà M. Jones, près de la cabine téléphonique. *IT IS* *How far is it to London?* (8) Quelle distance y a-t-il jusqu'à Londres ?
VERBE A PART ENTIÈRE	EMPLOI NORMAL : *BE* VERBE D'ÉTAT *He is 13 years old.* — Il a 13 ans. *He isn't very tall.* — Il n'est pas très grand. *He is a quiet boy.* — C'est un garçon tranquille. *His father is a doctor.* — Son père est docteur. (9) *She is quiet.* — Elle est calme. *She looks quiet.* — Elle a l'air calme. (10)
MODAL	OBLIGATION EXTÉRIEURE *We are to go to the U.S.* (11) Nous devons aller aux États-Unis.

(1) Action en cours, au présent, au passé, au futur. Cf. tableau formes, pages 79 et suivantes.

(2) Futur d'intention, futur proche. Cf. Aspects, page 20.

(3) Un emploi courant de la voix passive dans le premier exemple, un emploi particulier dans le second.

(4) - *He has gone* simple *present perfect* (cf. tableau suivant).
- *He is gone,* exprime un état résultant d'une action, d'un événement ; y compris au sens d'être décédé.
- Dans les deux cas, la forme contractée s'écrira et se dira : *He's gone.*

He [ha]s gone to Leeds ... mais il en reviendra.
He [i]s gone to Leeds ... il n'en reviendra pas.
He [ha]s been to Leeds ... il en est revenu.

(5) Emploi général qui est un cas particulier de BE, verbe d'état, avec le présentatif *there*. Il s'agit de la constatation d'un état de fait, description, à tous les temps, dans toutes les formes, au singulier comme au pluriel :

There ***being*** *nobody else...* *There* ***was*** *ten minutes to wait.*
Comme il n'y avait personne d'autre... Il y avait 10 minutes d'attente.

(6) L'expression n'est pas accentuée, sauf dans ***There's*** *Mr. Jones,* ***There's*** *a good boy!* (Sois sage !), ***There's*** *good children!* (Soyez sages, les enfants !)

(7) L'expression française **IL Y A ne se traduit pas toujours par** ***there is*** :

Qu'est-ce qu'il y a ? (= qu'est-ce qui se passe ?) : *What's the matter?*
Je l'ai rencontrée il y a trois ans : *I met her three years ago.*
Il y a trois heures qu'il dort : *He's been sleeping for three hours.*

Voir aussi note (8) et le passé pages 22-27.

(8) *It is...* est proche de *there is...* Il s'emploie :
- Comme ici, pour exprimer une distance.
- Pour indiquer le temps qu'il fait : *It is foggy - There is fog.*
- Pour exprimer le temps qui passe, la durée : *It is five years since he left* (Cela fait six ans qu'il est parti) - et non pas *there is...*

(9) Le même verbe exprime l'âge, la taille, le poids ainsi que l'état physique ou moral. En français il faut des formes différentes : « il **a**..., il **est**..., il **pèse**.., **c**'est... De même pour *How are you?* (Comment allez-vous ?) et pour *How much is it?* (Combien est-ce que ça coûte ?)
Quand la phrase reste claire, on peut même omettre verbe et sujet :

When a boy, he used to be quite mischievous.
Quand il était jeune, il était très espiègle.
(Possible aussi avec *if, though, unless, until.*)

(10) Emplois comparables de *appear, become, feel, get, go, grow, make, remain, seem, smell, sound, taste, turn.*

(11) Cf. modaux groupe 5, note 3, page 46.

4. *HAVE*

VERBE AUXILIAIRE	FORMATION DES TEMPS COMPOSÉS Voir formes d'un verbe ordinaire, pages 80-88. (1) à tous les temps composés, formes simples et formes continues (en *ing*) : *I have worked, I have been working.*
EMPLOIS DIVERS	VOIR *MAKE* a. *They made Bill teach Marie some English.* (2) *They had Bill teach Marie some English.* b. *They had her taught some English (by Bill).* c. *He had a watch stolen.* d. *He had his hair cut.*
VERBE A PART ENTIÈRE	VOIR *BE* *HAVE* et *THERE IS.* (3) *I have several good friends in California.* (4) J'ai plusieurs bons amis en Californie. VOIR *TAKE* *Have a cup of tea!* (5) Prenez une tasse de thé !
	POSSESSION *I have a new car, do you?* (6) *I have got a new car, have you?* (7) J'ai une voiture neuve, et toi ?
MODAL	*HAVE TO, HAD BETTER, HAD RATHER* Voir Auxiliaires modaux, page 46.

(1) Comparer l'emploi de *have* comme auxiliaire avec son emploi comme verbe ordinaire, cf. (6) :

I have taken my own car, has he? = auxiliaire
J'ai pris ma voiture, et lui ?

I have no car, does he? = verbe ordinaire
Je n'ai pas de voiture, et lui ?

(2) a. *To make* a comme *to have*, un sens actif, causatif : l'essentiel est que ce soit Bill qui donne les leçons.

b. *To have* a un sens passif, factuel : l'essentiel est que Marie apprenne un peu d'anglais, peu importe qui donne les cours.

c. L'auteur de l'action *(to steal)* n'est pas mentionné, la phrase est détachée de son contexte, ce qui la rend ambiguë. Elle peut signifier :
sens actif : Il a fait voler la montre (par quelqu'un d'autre).
ou sens passif : On lui a volé une montre.

Mais la plupart du temps le contexte rendra toute précision superflue.

d. Même effacement de la cause : « il s'est fait couper les cheveux ».
Ne pas confondre avec *He had cut his hair.*
il s'était coupé les cheveux (lui-même).

(3) Voir tableau *BE* page précédente.

(4) Sens comparable dans *There are several good friends of mine in California.*
Cette dernière phrase donne toutefois plus d'importance à *friends* qu'à *I*.

(5) *Have* a le sens de prendre ou donner à boire ou à manger, etc., selon le complément : *have a bath* (prendre un bain), *have a party* (donner une réception), *have trouble* (avoir des ennuis), *have a walk* (faire une promenade - à pied), *have a ride* (faire une promenade - à vélo)...
Dans cet emploi il obéit aux règles qui régissent les verbes ordinaires :

Will you have coffee or tea? Vous prendrez du thé ou du café ?
Did you have a good time? Vous vous êtes bien amusé(e) (s) ?
We're having breakfast early today. On déjeune tôt, ce matin.

(6) Les Américains et les Canadiens emploieront souvent *do* à l'interrogatif, les Anglais diront plutôt *Has he got a new car ?*

(7) Tournure très fréquente en anglais courant, alors qu'en Amérique du Nord on entend *I got a new car.* Mais, dans les deux cas, il s'agit bien d'un présent, exprimant nettement une valeur de possession.
Il est cependant quelquefois difficile de distinguer quand s'achève le *"getting"* et quand commence le *"having"* :

We've got a five week holiday. (U.S. *vacation*) (... après combien d'efforts !)
We have a five week holiday. (U.S. *vacation*) (... voilà le résultat.)

Ce qui montre une fois de plus combien l'anglais excelle à décrire le continu (voir chapitre « Temps ».)

5. *DO*

VERBE AUXILIAIRE	CONJUGAISON D'UN VERBE ORDINAIRE cf. page 80 *Does John play the piano?* Est-ce que John joue du piano ? *They don't play Beethoven.* Ils ne jouent pas de Beethoven. (1)
EMPLOIS DIVERS	*She plays the piano, doesn't she?* Elle joue du piano, n'est-ce pas ? *Does she play well? - No she doesn't.* Est-ce qu'elle joue bien ? - Non. (2) *John does play the piano beautifully.* John joue du piano vraiment merveilleusement. *He owns or did own a piano.* Il possède, ou du moins possédait jadis, un piano. (3) - *He played for five hours last week.* - *He didn't do that? - Yes he did!* - Il a joué du piano pendant cinq heures la semaine dernière. - Non ? - Si ! (4)
VERBE A PART ENTIÈRE	*What are you doing now?* Que faites-vous maintenant ? (5) *That's just not done!* Cela ne se fait pas ! (6) *DO et MAKE* *to do business* — *to make a bargain* faire des affaires — faire une affaire (7)

(1) *Do* et *did* marquent le temps et la personne aux formes interrogative et négative, mais ne sont pas ici porteurs de sens.

(2) Premiers emplois comme remplaçants du verbe, qui vient d'être utilisé, afin d'éviter une répétition. *Do* est déjà légèrement porteur de sens.

(3) *Do* a ici un rôle, plus important, d'insistance sur le sens (premier exemple) ou le temps (deuxième exemple).

(4) *Do* peut jouer un double rôle : il devient auxiliaire de lui-même devenu verbe à plein emploi, dans le sens de **faire** (remplacement du groupe verbal qui vient d'être employé - cf. (2)).

(5) *Do* est ici un verbe ordinaire, dans le sens de **faire** en général. La précision viendra ensuite dans la réponse. Il peut prendre toutes les formes d'un verbe ordinaire : *does, did, doing, done.*

(6) Les dictionnaires donnent les nombreuses extensions de sens que peut prendre *do* dans l'usage courant.
Par exemple *That will do* (ça suffira), *Well done* (bien cuit), *How do you do?* (Comment allez-vous ? - à ne pas confondre avec *How are you?*), *The soap is done* (il n'y a plus de savon), etc., ou, dans une langue plus familière, *He's done for!* (Il est fichu !), *You've been done!* (On vous a eu !)
Ces emplois, très variés, peuvent, on le voit, être transitifs - *to do the meat* (cuire la viande) - ou intransitifs *I can't do without you* (Je ne peux vivre sans toi).

(7) *To do* et *to make* sont souvent proches mais non interchangeables. Pourtant on peut observer que *make* exprime plutôt l'activité elle-même d'une manière concrète - le sens original de « fabriquer » s'est beaucoup affaibli - alors que *do* exprime le résultat de l'activité d'une manière plus généralement abstraite. Comparer par exemple *to do one's duty* (faire son devoir), *to do one's best* (faire de son mieux) à *to make mistakes, to make money, make the best of it*. Voir à ce sujet les dictionnaires anglais-français.

6. *LET*

(1)

VERBE AUXILIAIRE	IMPÉRATIF *Let's go to the cinema!* Allons au cinéma ! — *Let me see...* Voyons... (2) *Let him stay here!* Qu'il reste ici ! *Don't let him go out!* Qu'il ne sorte pas !
VERBE A PART ENTIÈRE	LAISSER *She didn't let her daughter go.* (3) Elle ne laissa pas partir sa fille. *They had/made/let Bill teach Marie some English.* (4) Ils ont demandé à Bill d'enseigner un peu d'anglais à Marie.
	LOUER (5) *My house is to let.* Ma maison est à louer.
LOCUTIONS VERBALES	*Let her alone.* (6) Laissez-la seule (tranquille). *Let me off at the corner of this street, please.* Laissez-moi au coin de cette rue, s'il vous plaît. *Let me off the bus.* Laissez-moi descendre du bus. *Let me out!* Laissez-moi sortir !

(1) Ce verbe est classé ici avec les auxiliaires dont il se rapproche par plusieurs emplois, mais c'est aussi un verbe à sens plein, irrégulier (*let, let, let,* voir « Verbes irréguliers », tableau 1) et il a une place importante parmi les verbes « à particule » (voir Liste générale).
Cette grande souplesse n'est pas parfois sans ambiguïté.

(2) Plutôt qu'un ordre « impératif », il s'agit plutôt d'un **conseil**, d'une suggestion. Très employé à la **première personne du pluriel**, plus rare à la première personne du singulier et à la troisième personne, singulier comme pluriel.
A la **forme négative** il existe une forme **littéraire** :

__Let us not__ waste our time.
Ne perdons pas notre temps.

et une forme **familière** :

__Don't let__ me catch you again!
Que je ne t'y reprenne pas !

(3) Le sens est proche de celui de *don't let him go out* (2) où l'on peut traduire aussi *let* par « laisser, permettre » *(= permit, allow).*
Pour éviter la confusion il est bon de choisir une autre tournure :

I wish she would not go out.
J'aimerais qu'elle ne parte pas.

Il y a là une modalité, un souhait, plutôt qu'un ordre :

Let them be happy!
Laissez-les tranquilles !
May they be happy!
Qu'ils soient heureux !

(4) Ces trois verbes, ici « causatifs », avec trois valeurs différentes, sont suivis d'un infinitif sans *to* (voir *"Have"*, page 32). C'est ce qui fait considérer *let* dans cet emploi comme un « semi-auxiliaire ».

(5) C'est le sens plein du verbe, qui peut être aussi employé intransitivement :

A house that would let easily.
Une maison qui se louerait, qui pourrait être louée, facilement.

(6) *Let* est riche d'emplois avec d'autres **adjectifs** :

Let him __loose__. Let him go __free__.
Libérez-le.

Avec d'autres **particules adverbiales** :

Don't let me __down__!
Ne me laisse pas « tomber » !

Et d'autres **particules prépositionnelles** :

He let the cat __out of__ the bag...
Il a « vendu la mèche »...

Ou les deux successivement :

You don't know what you're letting yourself in for!
Vous ne savez pas dans quoi vous vous engagez !

Auxiliaires modaux

1. GÉNÉRALITÉS

1.1 Définition

Il s'agit d'un système de dix auxiliaires qui, associés aux verbes simples ou composés, réguliers ou irréguliers, sont capables d'exprimer la **modalité**, c'est-à-dire l'attitude d'esprit de celui qui parle (1), son humeur *(mood)*.

Ce système permet, en cas de besoin, de remplacer une information sèche par des formules modulées. Au lieu de *I want some tea*, par exemple, il sera plus élégant et moins impératif d'utiliser *I would like some tea*... De même *Do you want... ?* n'est qu'une demande de renseignement tandis que *Would you like... ?* exprime plus de sollicitude.

1.2 Caractères communs

Il faut bien avoir à l'esprit qu'il s'agit essentiellement **d'auxiliaires**, et non de verbes. Donc...

- ils ne sont pas précédés de *to*
- ils ne peuvent être suivis que d'un infinitif **sans *to***
- leur forme interrogative se fait pas simple inversion du sujet.

D'autre part, ils sont les seules formes verbales à ne pas prendre de *s* à la troisième personne du singulier.

1.3 Économie et richesse

Malgré la relative économie des formes, l'anglais dispose ici d'une gamme très étendue de sens qui se recouvrent partiellement d'une forme à l'autre et interfèrent même avec l'expression des aspects.
On n'étudiera ci-dessous que les principaux.

(1) On dit aussi le « locuteur ».

2. CLASSEMENT

Dans la plupart des cas, les modaux expriment une attitude du locuteur concernant une activité non encore accomplie. Il considère la réalisation de cette activité ou comme probable, ou comme certaine, ou comme souhaitable, ou comme souhaitée, ou comme inévitable, etc.
Les modaux peuvent être divisés en trois groupes principaux :

2.1 *Shall, should, will, would*

L'action est imaginée comme étant réalisée. Mais le sens de « devoir » pour *shall*, et de « vouloir » pour *will*, est plus ou moins fortement impliqué.

I will go to England next year.
(... j'en ai la ferme intention)

2.2 *Can, could, may, might*

L'action est placée dans un concept de liberté. Tout est possible. Sa **réalisation va dépendre** des capacités du sujet (personne ou chose), de l'existence d'une opposition ou d'une autorisation extérieure, des circonstances qu'il va rencontrer sur sa route.

I may go to England next year.
(... c'est encore incertain, mais moins incertain que...
I might go to England next year.)

2.3 *Must, ought to, should* (2)

auxquels on ajoutera ***have to*** et ***am to***.

Ici, l'action est placée sous le signe de l'**obligation**, dont la source peut être intérieure ou extérieure au sujet.

I must go to England next year.
(... c'est le seul moyen de parfaire ma connaissance du verbe anglais...)

2.4 Il faut ajouter que certaines situations où l'action est envisagée sous forme négative ou interrogative n'impliquent pas forcément la forme négative ou interrogative des mêmes modaux.

C'est ainsi que la forme négative de **I have to go** *to England to practise modals* ne serait pas *I mustn't/must not go...*, ce qui exprimerait une interdiction, mais plutôt **I needn't/need not go...** ou **I don't have to go...** qui marquerait bien une absence d'obligation.

2.5 ***Need*** ainsi que ***dare*** seront étudiés à la suite des dix principaux modaux, ainsi que quelques expressions verbales à valeur modale.

(2) *SHOULD*, ici, dans un autre emploi qu'en 2.1.

3. *SHALL, SHOULD...*

MODALITÉ FORTE (1)

• **sens fort =**
règlement, prescription, ordre, interdiction

they shall not pass! Ils ne passeront pas ! (2)	*promises should be kept* il faut tenir ses promesses (5)

• **sens moins fort =**
sollicitation d'un ordre, d'une invitation, d'un conseil

shall we dance? (Vous dansez ?) (3)	*I should write to thank them* Je devrais leur écrire pour les remercier (6)

• **probabilité moyenne**

	He should win the game Il devrait gagner (7)

(1) Des « règles » existent ici peut-être encore moins qu'ailleurs à cause des différences d'emploi d'une région à l'autre, d'un individu à un autre.
Cette classification couvre cependant les trois quarts des emplois.

(2) Ordre impératif, aux 2e et 3e personnes uniquement.

(3) Invitation polie.

(4) A la forme affirmative et à la forme négative, souvent remplacé par *will* (ou *'ll*) et *won't*. S'ajoute alors une nuance de volonté.

MODALITÉ FAIBLE (1)

• **sens faible**
(futur neutre ou *plain future*)

to-morrow I'll be 21
demain j'aurai 21 ans
(4)

we didn't know we should meet again
nous ne savions pas que nous devions nous rencontrer
(8)

• **sens faible** (conditionnel)
irréel du présent

we should go with you if...
nous irions avec vous si...

• **sens faible** (conditionnel)
irréel du passé

we should have gone with you if...
nous serions allés avec vous si...
(9)

(5-6) Obligation morale. On peut ici observer que (5) a un sens plus fort que (6).

Quand cette obligation n'a pas été respectée, ajouter *HAVE + participe passé :*

you should have written... = « tu aurais dû écrire ».

On peut même, dans ce cas, utiliser *MIGHT* :
you might have written... = « tu aurais quand même pu écrire ! »

(7) Probabilité moyenne. Voir le tableau général récapitulatif, page 49.

(8) Futur dans le passé.

(9) Ce *should* est le plus souvent remplacé par *would* ou plus simplement *'d*. *Would* ajoute une nuance de volonté.

3. ... *WILL, WOULD*

MODALITÉ FORTE (1)

• sens fort =

volonté, ordre, ferme intention

I will see him today
Je veux le voir aujourd'hui
(10)

yesterday I wouldn't see him
hier, je ne voulais pas le voir
(13)

• sens moins fort =

invitation, requête, politesse

will you come for a drink?
voulez-vous boire un verre avec moi?
(11)

would you like some fruit juice?
voulez-vous un jus de fruit?
(14)

• répétition d'un état de fait ou d'une action

boys will be boys
un garçon c'est toujours un garçon (12)

he would drink a lot then
à cette époque il buvait beaucoup (15)

(10) La forme pleine accentuée exprime bien la volonté, alors que *I'll see him* serait un futur neutre. Même différence entre *I will not* et *I won't*.

(11) Invitation polie, comme dans (3).

(12) Cette expression d'une vérité éternelle à laquelle le locuteur se réfère (d'où la valeur modale) ne s'exprime qu'avec la forme pleine.

(13) Passé de (10) mais pour plus de clarté, on dira plutôt : *I didn't want to see him* ou *I refused to.*

MODALITÉ FAIBLE (1)

• **sens faible**
(futur neutre ou *plain future*)

he'll win the race il va gagner la course	*he said he would come back later* Il a dit qu'il reviendrait plus tard (16)

• **sens faible** (conditionnel)
présent

he would go with you if...
il irait avec vous si...

• **sens faible** (conditionnel)
passé

he would have gone with you if...
il serait allé avec vous si...
(17)

(14) Forme plus polie que (11).

(15) Forme fréquentative : répétition dans le passé, habitude, surtout en anglais écrit. Voir aussi *USED TO*. Valeur modale.

(16) Futur dans le passé.

(17) De même que *should*, la forme pleine n'est obligatoire que dans les questions et les réponses du type *yes I should, yes I would.*

4. *CAN, COULD, MAY, MIGHT*

MODALITÉ (1)	*CAN*	*COULD*
Capacité (2)	**PRÉSENT** *I can drive your car* (3) *she can speak Russian*	**PASSÉ** *I could drive your car before, but now I've forgotten* *she could speak Russian at the time*
	can you hear that bird?	*could you see that bird?* (4)
Permission (5)	*can I borrow your book?* (7) (6) DE	*could I borrow your book?* PLUS
Suggestion (9)	*we can go to the cinema if you like*	*we could go to the cinema* *(if...)*
Probabilité (10)	*he can win the game* DE	*he could win the game* MOINS

(1) La réalisation de l'acte dépend soit du locuteur (ses capacités), soit des autres, soit des circonstances.

(2) Autres moyens d'exprimer la même idée (capacité physique ou intellectuelle), particulièrement à d'autre temps que le présent et le passé : *be able to..., be capable of ...ing, know how to...* Au présent et au passé, ces formules mettent plus l'accent sur l'idée de capacité.

(3) En français, plutôt « je sais » que « je peux », et même « elle parle... ».

(4) Il s'agit de verbes de perception : traduire simplement par « entendez-vous... ? », « avez-vous vu... ? ».

(5) Équivalents dans ce sens : *be allowed to, be permitted to.*

(6) En français : « je peux... ? », « je pourrais... ? », « puis-je... ? » (ou autre tournure plus recherchée).

MODALITÉ	*MAY*	*MIGHT*
Capacité		
Permission	*may I borrow your book?* (7)	*he said I might borrow your book* (8)
EN PLUS	POLI →	
Suggestion		*we might go to the cinema* *(if...)*
Probabilité	*he may win the game*	*he might win the game*
EN	MOINS	PROBABLE →

(7) Attention :

• la forme négative de *can* peut exprimer un refus, une interdiction ou une impossibilité : *you can't* (sous-entendu « c'est non ! » ou « je ne l'ai pas ») ;

• et la forme négative de *may* (comme de *could*) serait *you mustn't* (= « je l'interdis »).

(8) *Might* ne s'emploie avec le sens de permission que dans ce cas (style indirect) : « il a dit que je pourrais... ».

(9) Les deux formulations ont à peu près le même sens, mais *we could...* et *could we...* sont plus courants (« si nous allions... ? »). Elles peuvent s'accompagner d'une condition *(if we had more money)*.

(10) Cas où interviennent « les circonstances ». Il y a, selon l'appréciation du locuteur, quatre degrés de probabilité (voir le tableau récapitulatif page 49).

5. *MUST, OUGHT TO, NEED, DARE* (1)

MUST	*OUGHT TO*
OBLIGATION	
INTERNE *I must read this book* (2) **EXTERNE** *sorry, I have to go* (3) **INTERDICTION** *you mustn't smoke here* (4)	*I ought to write to my father* (6)
ABSENCE D'OBLIGATION : cf. *need*	
(5)	
PROBABILITÉ	
it must be cold outside (7)	*they ought to be there* *he ought to win the game* (8)

(1) La réalisation de l'acte dépend de la rencontre d'une obligation qui peut venir du locuteur, ou des autres, ou d'une loi morale supérieure. Il n'est donc pas étonnant de rencontrer les chances de probabilité les plus grandes.

(2) Sous-entendu : « c'est un acte que je m'impose à moi-même ».

(3) Sous-entendu : « parce qu'***on*** me l'a demandé » *(have (got) to, to be to, be obliged to* sont des formules presque équivalentes qui peuvent servir pour d'autres temps que le présent. Mais elles expriment une contrainte qui vient plutôt de l'EXTÉRIEUR.

(4) C'est le résultat d'un refus à la question *may I smoke?* (cf. tableau 2.7).

(5) « Ce n'est pas nécessaire. » C'est la réponse à une question de type *do you think I must... ?*

NEED	*DARE*
VALEUR MODALE	
do you think I need wait? *you need not wait* (9)	*you dare not get in, do you ?* (10)
ABSENCE D'OBLIGATION	
you needn't wait/you don't have to wait (5)	
VERBE ORDINAIRE	
do I need to wait? *he needs/doesn't need... a lot of time* (10)	*he* { *dares* / *doesn't dare* / *didn't dare* } *I don't dare to go* (11)

(6) C'est un sens comparable à celui de *should* (tableau 3.6), mais les deux formules sont moins fortes que *must* et *have to.*

(7) « Il fait certainement froid. »
Très forte probabilité. Dans ce sens, n'existe qu'à la forme affirmative. Au négatif : *it can't be cold.*

(8) « Ils devraient y être. » « Il y a de grandes chances pour qu'il gagne. » Grande probabilité. L'action est désirable, le locuteur regretterait de ne pas la voir se réaliser.

(9) Il s'agit de la réponse aux deux interrogations, directe ou indirecte, qui précèdent.

(10) La forme affirmative de *need* et de *dare* n'est possible que pour le « verbe ordinaire ».

(11) Peut être suivi d'un infinitif complet ou d'un infinitif sans *to*. Autre prétérit possible, *dared*, ou même *durst* (archaïque).

6. EXPRESSIONS VERBALES A VALEUR MODALE

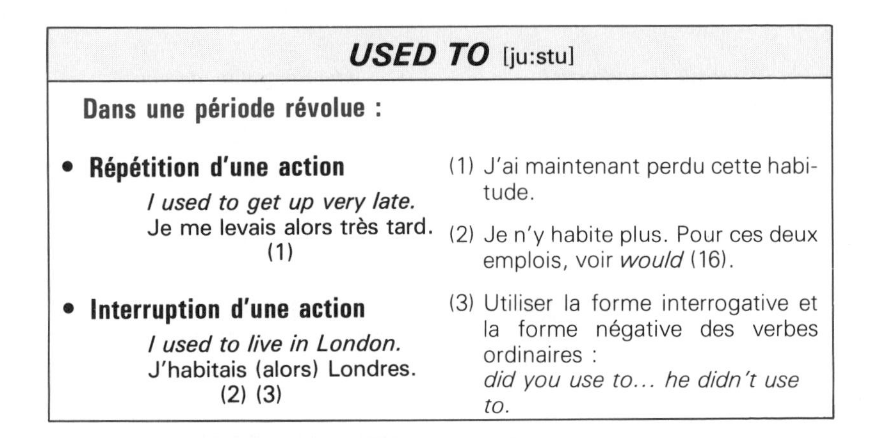

USED TO [ju:stu]

Dans une période révolue :

- **Répétition d'une action**

  I used to get up very late.
  Je me levais alors très tard.
  (1)

- **Interruption d'une action**

  I used to live in London.
  J'habitais (alors) Londres.
  (2) (3)

(1) J'ai maintenant perdu cette habitude.

(2) Je n'y habite plus. Pour ces deux emplois, voir *would* (16).

(3) Utiliser la forme interrogative et la forme négative des verbes ordinaires :
did you use to... he didn't use to.

HAD/'D BETTER
WOULD/'D RATHER

CONSEIL

you'd better write to thank them.
vous devriez leur écrire pour les remercier.
(4) (5)

PRÉFÉRENCE

I'd rather go and talk to them
J'aimerais mieux aller leur parler.
(5)

(4) Conseil à la deuxième personne, obligation morale aux autres (cf. ***should***, sens atténué)

(5) A la forme négative :
you'd better not.
I'd rather not.

7. TABLEAU RÉCAPITULATIF

7.1 Conseils quand ils s'adressent à la 2e personne.

Obligations quand elles sont ressenties par la 3e ou (comme ici) la 1re personne.

- *'d better write* — Je devrais écrire
- *should write* — Il faudrait que j'écrive
- *ought to write* — Il faut que j'écrive
- *must write* — Il est indispensable que j'écrive

7.2 Degrés de probabilité

Situation : vous ne savez pas le temps qu'il fait dehors...

It might be cold	... vous n'en avez aucune idée
It may be cold	... c'est possible
It could be cold	... c'est très possible
It can be cold	... c'est probable
It should be cold	... tout porte à croire que
It ought to be cold	... après tout ce qui a été prévu
It must be cold (1)	... il ne peut pas ne pas

et vous sortez pour constater « *it is cold* ».

(1) Entre *should* et *must*, on aurait pu insérer *it is likely to be cold* : il y a de fortes chances pour que...

Verbes composés

1. DÉFINITION

Nous appellerons verbe composé (en anglais *phrasal verb*) l'association d'un verbe simple, régulier ou irrégulier, et le plus souvent, d'une ou deux particules invariables, séparées. (1) **L'association ainsi formée prend un sens différent du verbe de base.**

ex. *come* (venir) + *in*	*come in* (entrer)
verbe de base + particule	verbe composé

Voir liste de ces verbes pp. 193-224.

2. LES VERBES DE BASE : nombre et nature

2.1 Ils sont environ 3000 sur un total d'environ de 6000. Cette proportion est assez importante parmi les verbes irréguliers (50 sur 170) (2).

2.2 Une dizaine de verbes, particulièrement prolifiques, peuvent s'associer chacun à **plus de trente mots différents**. C'est ce groupe seul qui sera étudié ci-dessous.
Si l'on considère que chacun de ces mots donne à un même verbe de base un sens différent, l'ensemble des verbes composés ainsi formés atteint un total de plus de 13000. Ils occupent donc une place prépondérante dans la langue anglaise, surtout si l'on tient compte du fait qu'un même verbe de base associé à une même particule peut avoir à son tour des dizaines d'acceptions.

2.3 Traits communs caractéristiques

Les verbes de base, et particulièrement parmi eux le groupe des verbes irréguliers, rendent compte de

- **mouvements** [→]
- **positions** [•]

} essentiels se rapportant plutôt à des êtres animés ou objets inanimés.

(1) Cette définition ne couvre pas le phénomène de « composition » par des préfixes *(become)* ou des suffixes *(whiten)*. Voir « Préfixes et Suffixes » pages 70-71.
(2) Tous les renseignements statistiques donnés dans ce chapitre ont été obtenus par traitement informatique.

2.4 Figuration des verbes les plus prolifiques :

3. LES AUTRES COMPOSANTS

3.1 Définition

A côté du verbe de base, les autres composants du verbe composé peuvent être des petits mots invariables, adverbes ou prépositions, que nous appellerons ci-dessous **particules**, mais aussi parfois des pronoms, des adjectifs ou des idiotismes *(idioms)*. L'ensemble constitue donc une **expression verbale** *(phrasal verb)*.
Les sens idiomatiques de cette expression peuvent causer des difficultés aux non anglophones. Ces difficultés proviennent du fait que ces combinaisons verbales, en plus de significations « normales », peuvent avoir de nombreux autres sens, souvent difficilement prévisibles par les spécialistes britanniques eux-mêmes.
Cependant ces verbes de base sont assez nombreux, on l'a vu (environ 3000), et ces particules assez diverses (une centaine) pour qu'il vaille la peine de tenter un effort de simplification, portant sur la « quantité » aussi bien que sur « la qualité » de ces particules.

3.2 Nombre

On constate qu'une dizaine de ces particules peuvent s'associer chacune avec plus de 300 verbes de base. C'est ce groupe seul qui sera étudié ci-après. Mais, comme pour les verbes de base, l'éclairage porté sur le groupe le plus prolifique peut servir pour l'ensemble.

3.3 Nature

3.3.1 **Dans la grande majorité des cas** il s'agit d'un adverbe ou/et d'une préposition (soit une ou deux particules).

Exemples d'emplois avec le verbe de base *put* :

• La particule est **un adverbe.** Parmi vingt emplois, deux exemples, le plus idiomatique étant précédé de * :

I can't put the lid on, the box is too full!
Je ne peux pas mettre le couvercle, la boîte est trop pleine !

* *Please, put the light on.*
Allumez la lumière, s'il vous plaît.

• La particule est **une préposition.** Deux exemples, parmi sept emplois, même remarque que précédemment.

Put the plates gently on the table.
Mettez les assiettes doucement sur la table.

* *Why are you trying to put the blame on me?*
Pourquoi essayez-vous de me rendre responsable ?

• Les particules sont **successivement un adverbe et une préposition.** C'est le cas, par exemple, de *put* avec *up* et *to* ou *with* dans :

* *I know who put him up to cheating*
Je sais qui l'a poussé à tricher

* *She will not put up with that loud music in the house any longer.*
Elle n'acceptera pas plus longtemps cette bruyante musique à la maison.

(*put up with*) peut signifier aussi : supporter, « faire avec ».

3.3.2 Autres composants

• Ce peuvent être aussi des **pronoms**, par exemple, dans un style familier :

to take it out on John
se défouler sur John

to lord it
faire le grand seigneur

Le composant, dans ce cas, suit obligatoirement le verbe.

N.B. : Certains grammairiens français appellent « verbes à particules » le seul groupe de verbes composés formés avec des adverbes, quitte à prévoir une catégorie pour des « semi-composés », constitués d'une base verbale et d'une « particule prépositionnelle ». D'autres grammairiens nomment ces adverbes « postpositions ». Et il est parfois difficile de distinguer entre « préposition » et « adverbe », le même mot pouvant, le plus souvent, jouer les deux rôles.
Dans un souci de simplification, nous rassemblerons sous le même vocable « particules » ces mots invariables, qu'ils soient de valeur adverbiale ou prépositionnelle. Notre analyse suit celle du *Dictionary of Phrasal Verbs* de ROSEMARY COURTNEY (Longman, 1983), dictionnaire que nous recommandons de consulter et d'où seront tirés ci-dessous un bon nombre d'exemples. C'est le parti que prennent également A.J. THOMSON et A.V. MARTINET, dans leur *Practical English Grammar* (Oxford University Press).

• Ou des **adjectifs**, avec deux types de construction :

I hope my dreams will come true.
J'espère que mes rêves se réaliseront.

**He kicked the door open.*
Il ouvrit la porte d'un coup de pied.

Contrairement aux adverbes, ils ont une place immuable.

• Les composants peuvent aussi être constitués de **plusieurs mots**, placés dans un ordre invariable. A propos de chaque *phrasal verb*, les dictionnaires citent de nombreux exemples de ces expressions idiomatiques, aussi bien à la suite de particules adverbiales que de particules prépositionnelles.

• Signalons enfin que **le verbe peut disparaître tout à fait**, au profit de la particule :

Down with the tyrant!
A bas le tyran !

He upped and offed (familièrement)
Il s'est levé et a filé...

3.4 Traits communs caractéristiques des particules

Elles peuvent caractériser un **mouvement**
(avec une, deux ou trois dimensions)

ou une **position**, un **état**.

Elles peuvent se rapporter à des **êtres animés**
ou à des **objets inanimés**

Elles peuvent donner aux verbes un **sens concret, propre**
ou un **sens abstrait, figuré**

3.5 Représentation schématique des dix plus fréquentes (Le numéro représente l'ordre de fréquence.)

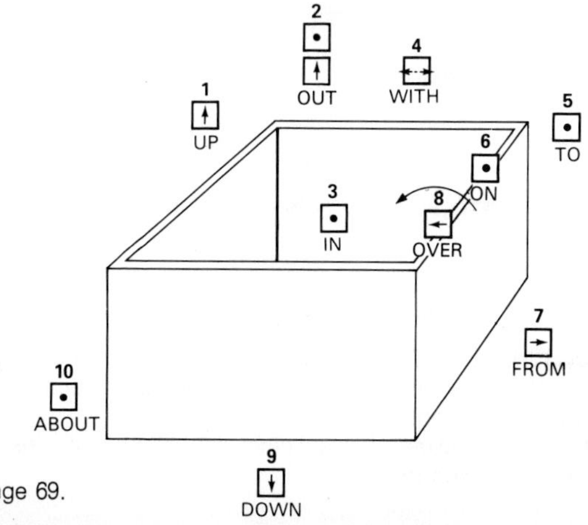

Voir aussi page 69.

ÉTUDE DES VERBES DE BASE LES PLUS PROLIFIQUES

Après *be*, décrit dans ses emplois et dans ses sens de base principaux, seront traités plus rapidement les quatre verbes de base les plus prolifiques *come*, *go*, *run*, *take*, accompagnés des dix particules les plus employées, dans l'ordre de fréquence.

Emplois : les particules apparaissent dans l'ordre décroissant de leur fréquence d'emploi. Ces formes sont ensuite sommairement commentées.

Sens : sont donnés seulement quelques sens principaux apportés par les particules tels qu'on les trouve dans les dictionnaires, classés selon les critères décrits plus haut (3.4, «traits communs caractéristiques»).

Grille d'étude des verbes composés : pour aider à voir clair dans la complexité de la langue, la grille ci-dessous peut être précieuse. Elle a été utilisée dans cet ouvrage pour les verbes et les particules les plus prolifiques. Elle peut servir de base à l'étude de tout verbe composé.
Pour les autres verbes et les autres «petits mots», consulter l'Index général et un dictionnaire.

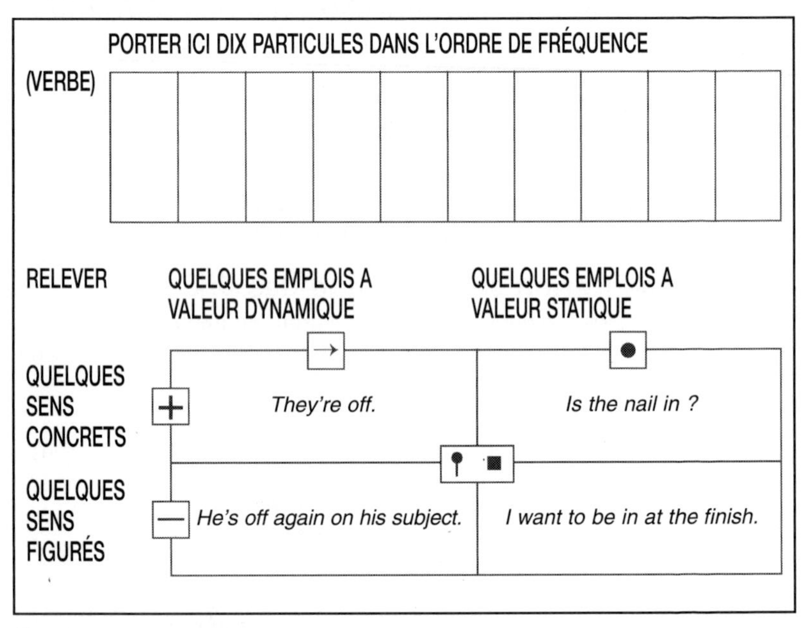

Étude des particules : la même grille est employée ensuite pour cinq mots très utilisés. Dans les «cases d'emploi» prennent place, cette fois, les verbes dans leur ordre de fréquence.
On trouvera enfin un panorama plus succinct des emplois et des sens principaux d'une trentaine d'autres mots...

4. Étude exemplaire d'un verbe de base : *BE*

a. *He is going to leave...* — *He is leaving tomorrow.*
Il va partir... — Il part demain.

b. *How far **is** it **to** London? - London **is** miles **away, over** there...*
Quelle distance y a-t-il jusqu'à Londres ? Londres est à des milles d'ici, par là-bas... (1)

FRÉQUENCES D'EMPLOI

(sur les 400 sens différents de *be*).

to be in	60	*to be at*	21
to be out	57	*to be over*	15
to be on	38	*to be under*	14
to be up	35	*to be down*	13
to be off	26	*to be beyond*	10

(2)

FORMES

*Is the nail **in**?* **(A.)** Le clou est-il enfoncé ?
*Tom's book is now **in** hand,* **(P.)**
Le livre de Tom est désormais disponible. (3)
*I want to be **in at** the finish.* **(A. + P.)**
Je veux aller jusqu'au bout.

SENS

*Be **off** with you!* Allez-vous-en !
*They're **off**.* Ils sont partis (course). (4)
*He is **off** again on his subject.*
Le revoilà reparti sur son sujet favori.

(1) Pour traiter *be* en tant que verbe composé, il faut écarter ses emplois comme auxiliaire (a), et n'étudier que ses emplois comme verbe « principal », introduisant un adjectif ou un participe passé, un groupe nominal ou un adverbe (b). Voir Auxiliaires ordinaires : *BE* page 30.

(2) *Be* compte parmi les verbes qui peuvent s'associer à un grand nombre de petits mots - plus de 40 - : de *about, above, abreast of, after, against, ahead, along, amiss, around, at, away...* à *up, with, within, without.*
Ces 40 mots donnent en tout environ 400 sens.
Les dix particules le plus souvent associées à *be* sont données ici dans l'ordre de fréquence décroissant. Le *Dictionary of Phrasal Verbs* sert ici de référence quant au nombre de sens.
Les autres mots donnent moins de dix sens chacun.

(3) La particule a quelquefois une valeur adverbiale (A.), quelquefois une valeur prépositionnelle (P.). Deux mots peuvent s'associer en même temps au verbe de base.
Dans le cas de *be in*, par exemple, on compte 12 adverbes, 34 prépositions et 14 associations adverbe + préposition. Dans les études qui suivent, il n'est pas tenu compte de cette distinction. (Cf. page 52.)

(4) Avec un verbe d'état comme *be*, on voit nettement comment la particule peut donner au verbe de base son dynamisme, comment même elle peut transformer un verbe de position en verbe de mouvement. (Cf. page 52.)

5. ÉTUDE
de quatre autres verbes de base

5.1 *COME...*

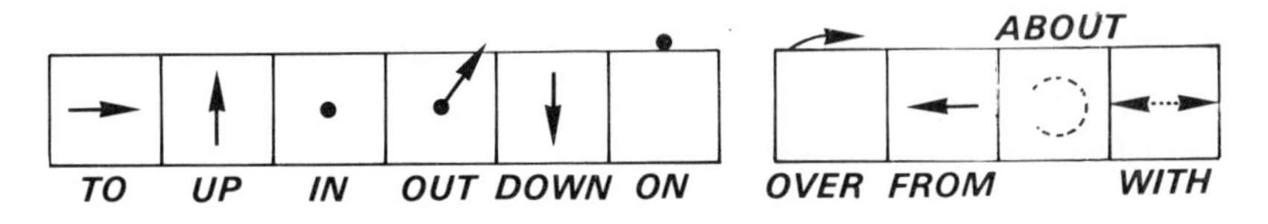

Emplois : 1. Nombreuses associations avec quatre particules plutôt de mouvement : *come to, come up, come out, come down* et avec deux particules plutôt de position : *come in, come on.*
2. Les premières se diversifient avec un deuxième mot : *come down on, come down with,* etc.
3. Peu d'emplois avec les autres particules.

Sens : Le verbe de base ayant surtout un sens dynamique, les particules donnent une direction au mouvement impliqué.

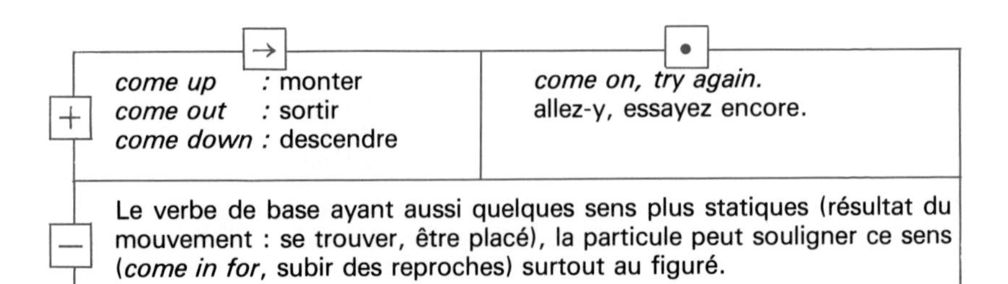

Rappel

→ Action

• État

+ Sens propre

— Sens figuré

5.2 *GO...*

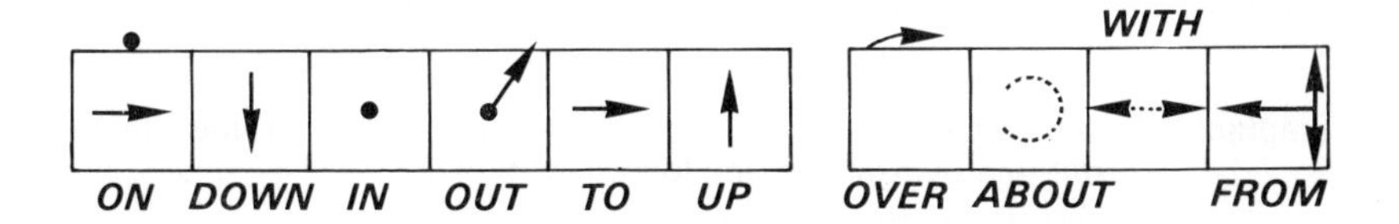

Emplois : Emplois plus nombreux que pour *come*, surtout avec *go on, go down* et *go in, go out,* deux paires qui associent position et mouvement. Nombreux emplois de *go to*, mais sans deuxième particule.

Sens : Le verbe de base ayant, en gros, deux familles de sens plutôt dynamiques et assez vagues ([+] démarrer, aller, se rendre à, et [−] devenir, se dérouler, se placer, etc.), chaque élément se greffe facilement et fait prévaloir le sens qui lui est propre.

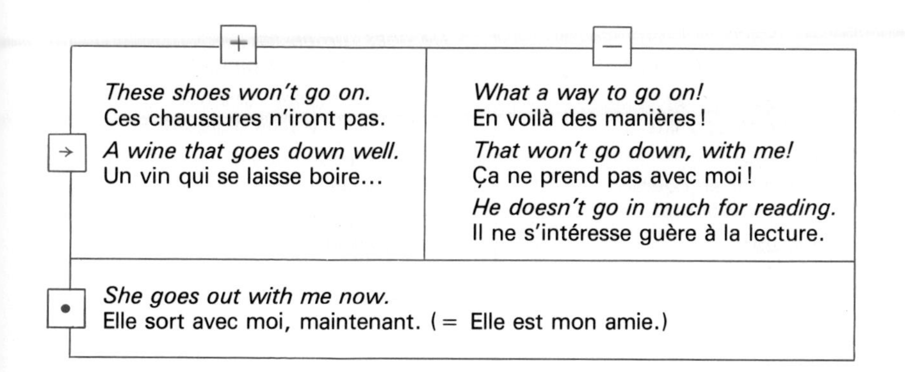

	+	−
→	*These shoes won't go on.* Ces chaussures n'iront pas. *A wine that goes down well.* Un vin qui se laisse boire...	*What a way to go on!* En voilà des manières ! *That won't go down, with me!* Ça ne prend pas avec moi ! *He doesn't go in much for reading.* Il ne s'intéresse guère à la lecture.
•	*She goes out with me now.* Elle sort avec moi, maintenant. (= Elle est mon amie.)	

5.3 *RUN...*

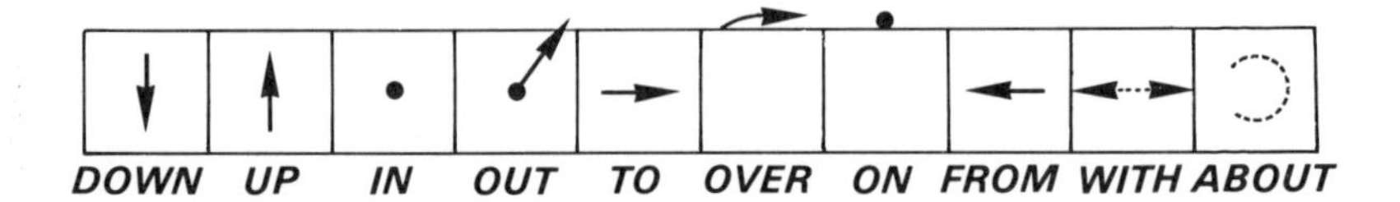

Emplois : 1. Les paires *run up/run down, run in/run out,* ainsi que *run to* ont une quinzaine d'emplois chacun.
2. Peu de constructions avec deux particules.

Sens : Le verbe de base *run* a lui-même un grand nombre de sens différents (plus de quinze), tous dynamiques. La particule n'a donc plus beaucoup à apporter, sauf dans les sens figurés.

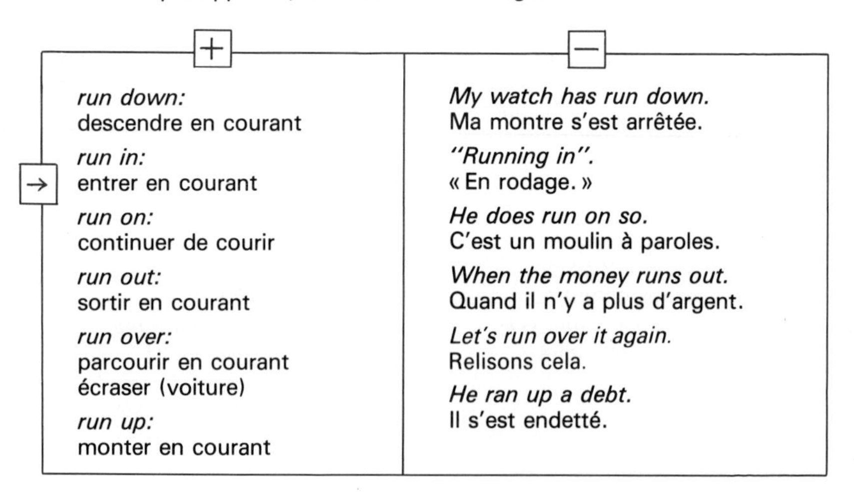

+	—
run down: descendre en courant	*My watch has run down.* Ma montre s'est arrêtée.
run in: entrer en courant	*"Running in".* « En rodage. »
run on: continuer de courir	*He does run on so.* C'est un moulin à paroles.
run out: sortir en courant	*When the money runs out.* Quand il n'y a plus d'argent.
run over: parcourir en courant écraser (voiture)	*Let's run over it again.* Relisons cela.
run up: monter en courant	*He ran up a debt.* Il s'est endetté.

5.4 *TAKE...*

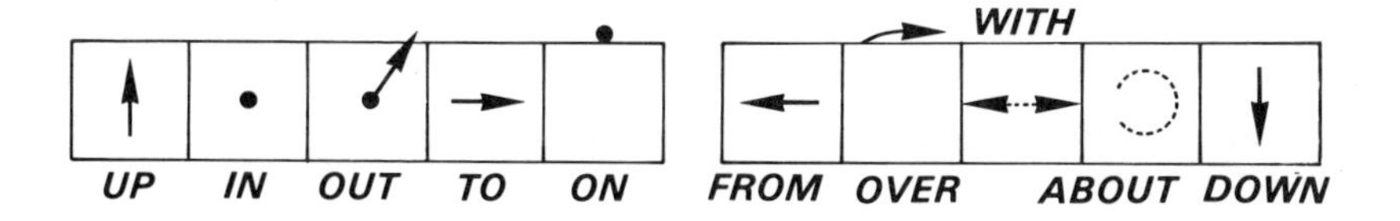

Emplois : Avec *up, in, out, to, on,* les combinaisons sont très nombreuses.

Sens : Les sens de *take* sont nombreux : prendre, enlever, soustraire, capturer, consommer, accepter, contenir, imaginer, demander, emporter, etc.
Il s'agit toujours d'un mouvement concernant personnes ou choses ; la particule modifie ces sens dans des directions parfois imprévisibles.
Quelques emplois seulement, concrets et abstraits, avec une particule supplémentaire.

	→	•
+	Beaucoup d'emplois du type « faire bouger » dans une direction déterminée.	Les emplois de caractère plutôt statique ne se rencontrent que dans un sens figuré.
−	*I'll take you up on that.* Je vous prends au mot. *That child takes everything in.* Cet enfant comprend tout. *Don't take it out on me.* Ne t'en prends pas à moi.	*I'll take you on.* Je parie avec vous. *It's time someone took her down a peg or two!* Il est temps de lui rabaisser son caquet !

6. LES PARTICULES : place et fonction

6.1 PLACE

Come in *and* ***sit down.***	Entrez et asseyez-vous.	
Off *we* ***go !***	Et nous voilà partis !	(1)
a) ***Bring up*** *the chair.* ***Bring*** *the chair* ***up.***	Remonte la chaise.	
b) ***Bring*** *it* ***up.***	Remonte-la	(2)
c) ***Bring up*** *the chair you saw yesterday in the garden.*	Remonte la chaise que tu as vue hier dans le jardin.	
d) *What chair shall I* ***bring up?***	Quelle chaise veux-tu que je monte ?	
e) *This is the chair which you wanted me to* ***bring up.***	Voici la chaise que tu voulais que je remonte.	

6.2 VALEUR DE SENS (FONCTION ESSENTIELLE)

a) *drive away, drive back, drive home, drive in,* etc. (On est en voiture.)
s'en aller, revenir, aller vers la maison, entrer.

b) *get,* *get up,* *get on* / *get off,* etc.
obtenir, se lever monter / descendre d'un véhicule.

c)

lie	*lie down*		
être allongé,	s'allonger		(3)
sit	*sit down*	*sit up*	
être assis	s'asseoir	s'asseoir	
	(on était debout)	(on était allongé)	

d) *keel over:* chavirer

e) *She ran up* — Elle monta en courant.
He swam across (the river). — Il traversa à la nage (la rivière).

6.3 EXEMPLES D'IDIOMATISMES

When are the council going to ***make up*** *this road?*
(make up = put a surface on the road.)
You must ***make up*** *the time you have wasted.* (4)
(make up = repay a loss of money.)
She ***is on*** *the pill.*
(= she takes a contraceptive pill.)
The beers ***are on*** *me.*
(= I shall pay for them.)
I won't ***put up with*** *your making a noise every night.*
(put up with = accept.)
The whole affair ***boiled down*** *to a simple quarrel.*
(boil down = to be reduced to.)

(1) Avec un **verbe intransitif**, la particule se place immédiatement après le verbe, parfois en tête de phrase pour insister sur la rapidité du mouvement.

(2) Avec un **verbe transitif** :

a) **Avant ou après un complément court,** mais la deuxième construction insiste sur le résultat.

b) **Après le pronom personnel complément :** seule place possible.

c) La particule **ne peut se trouver séparée** du verbe par un complément long.

d) A la **forme interrogative**, la particule est située en fin de proposition.

*Who shall I **give** the chair **to**?*
A qui vais-je donner cette chaise ?

e) Comme pour la forme interrogative, la particule (ou, le cas échéant, les particules) se trouve en **fin de proposition relative**.

*This is the person (whom) you'll **bring** the chair **up for.***
Voici la personne pour qui tu monteras la chaise.

(3) Sa fonction la plus apparente et la plus commune est de **dynamiser le verbe de base.**

a) C'est ainsi que des verbes de base comme *drive* ou *walk* se trouvent parmi les verbes les plus prolifiques, car presque toutes les particules peuvent s'y associer pour leur donner une direction. Il en est ainsi pour beaucoup d'autres verbes : déjà porteurs d'une idée de mouvement, ils expriment, avec l'aide de la particule, de nombreuses nuances. Par exemple, *jump* (sauter) donne *jump away*, *jump past*, *jump out*, etc. Ou *chug* (souffler, haleter) : *we were chugging along* = nous roulions lentement dans notre vieille guimbarde (notre teuf-teuf).

b) La particule donne une valeur dynamique aux verbes de sens vague.

c) Elle peut transformer un verbe de position en un verbe de mouvement.

d) Quelques verbes n'existent pas sans particule. Ils sont formés du nom d'un objet (*keel* = la quille d'un navire) auquel s'est adjoint un mot exprimant le mouvement effectué par l'objet.

e) Cas le plus fréquent : on traduit d'abord le **résultat de l'action exprimé par la particule**. On traduit ensuite le **verbe**, qui **décrit la manière dont l'action est accomplie**.

(4) Dans l'usage, la « fonction dynamisante » de la particule n'est pas toujours clairement reconnaissable. Pour le verbe *make up*, par exemple, le *Dictionary of Phrasal Verbs* donne dix-huit acceptions. Ces nombreuses acceptions posent des problèmes de traduction difficiles et intéressants.

7. Étude exemplaire de : *UP*

COME GO RUN FALL GET TAKE PUT SET BE STAND

→ •

+

(1) *He will be the next climber to* **go up**.
Le grimpeur suivant.
The smoke was ***going up***.
La fumée montait.
Would you ***run up****?*
Voulez-vous monter vite ?
The ship has ***run up*** *the red flag.*
Le bateau a hissé le drapeau rouge.
Ask the doctor to ***come up***.
Dis au docteur de monter.
I like watching the sun ***come up***.
J'aime voir le soleil se lever.

(2) ***Get up*** *to give the lady a seat.*
Lève-toi et donne ton siège à la dame.
The car had difficulty ***getting up***.
La voiture avait de la peine à monter.
The opposition ***set up*** *against the P.M.*
L'opposition se rassembla contre le Premier Ministre.

(3) *He'll* ***be up*** *in a minute.*
Il sera en haut dans une minute.
Stand up *when the judge enters.*
Levez-vous quand entre le juge.

(4) *What keeps that old house* ***standing up****?*
Qu'est-ce qui fait tenir debout cette vieille maison ?

—

(4) *What****'s up****?*
Que se passe-t-il ?
Is *it all* **up** *to me?*
Tout est fini pour moi ?
*He****'s*** *well* ***up*** *in mathematics.*
Il est calé en mathématiques.

(5) *He's* ***gone up*** *in my opinion.*
Il est monté dans mon estime.

Will this story ***stand up*** *in court?*
Est-ce que cette histoire tiendra devant la Cour ?

Exemples d'idiomatismes

—

He said he'd be at the station but he ***stood me up***.
Il a dit qu'il serait à la gare mais il m'a posé un lapin.

Can you ***run up*** *the figures for me?*
Faites vite le total pour moi.
Don't ***get the wind up****, it's only me.*
N'ayez pas peur, ce n'est que moi.

Don't you try to ***come up****!*
N'essayez pas de faire le malin.
Where can we ***put up*** *for the night?*
Dans quel hôtel pouvons-nous descendre cette nuit ?

SYNTHÈSE

Le plus souvent un **mouvement** plutôt qu'une position ou un état.
Dans les sens concrets, il s'agit d'un **mouvement « vers le haut »** (1) et d'une **position « près du haut »**, pour les êtres vivants comme pour les choses.
Dans les sens abstraits et figurés il s'agit parfois de **mouvements** ou de **positions approchant d'un paroxysme, de la perfection.**

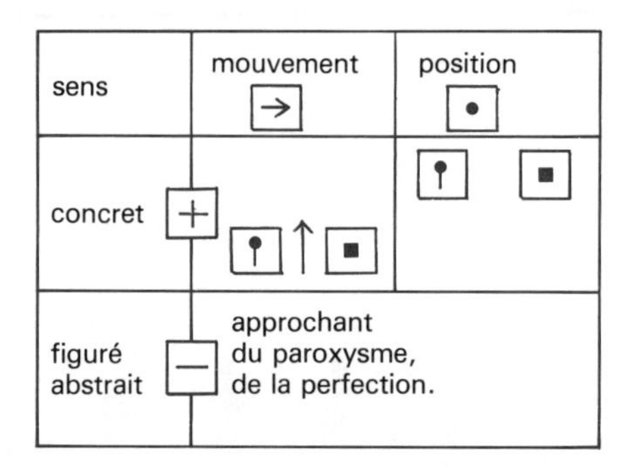

(1) Avec les verbes de base exprimant déjà clairement un **mouvement** - *come*, *go*, *run* - les sens des verbes sont nombreux et très explicites, qu'il s'agisse d'êtres vivants ou de choses. Dans le cas de *fall* (tomber), il était prévisible que l'association avec *up* serait impossible (sauf pour des astronautes !).

(2) Avec les verbes de base de sens plus ouvert, surtout *get*, *take*, *put*, *set*, c'est la particule qui donne une direction au mouvement pour les êtres vivants comme pour les choses, à égalité de cas.

(3) Quand le verbe de base porte un sens plutôt statique, comme *be, stand,* la particule peut faire prévaloir l'idée de mouvement. Pour *be*, voir page 55.

(4) Les sens de position et d'état restent, pour ces verbes, les plus naturels, donc les plus fréquents. Avec *be*, le mot a de nombreux emplois inattendus, éloignés du sens originel de « monter ».
Remarquer comme *stand up* « s'immobilise » par l'intervention de *keep.*

(5) L'interprétation d'un verbe composé est souvent très délicate. Les grammairiens anglais admettent que les différents sens que peut avoir chaque verbe ne sont pas toujours prévisibles (cf. page 52).

8. ÉTUDE
de quelques autres particules

8.1 ... *OUT*

Exemples d'idiomatismes

Emplois :
1. Nombreuses associations de *out* avec les verbes rendant compte de positions et de mouvements, se rapportant plutôt à des choses, surtout *get out*.
2. L'expression de mouvements concernant plutôt les personnes se fait surtout avec *come out, go out, run out,* qui à eux seuls rassemblent une centaine d'acceptions.
3. Nombreuses constructions avec deux mots invariables surtout pour *be, come, go*.

Sens :

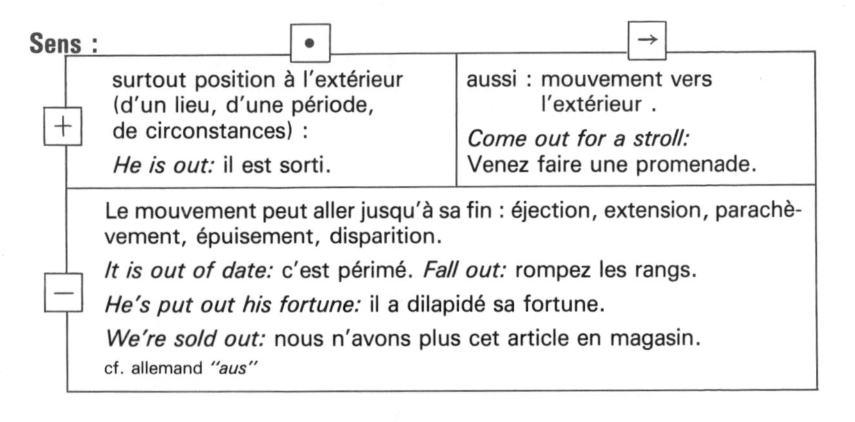

	•	→
+	surtout position à l'extérieur (d'un lieu, d'une période, de circonstances) : *He is out:* il est sorti.	aussi : mouvement vers l'extérieur . *Come out for a stroll:* Venez faire une promenade.
–	Le mouvement peut aller jusqu'à sa fin : éjection, extension, parachèvement, épuisement, disparition. *It is out of date:* c'est périmé. *Fall out:* rompez les rangs. *He's put out his fortune:* il a dilapidé sa fortune. *We're sold out:* nous n'avons plus cet article en magasin. cf. allemand *"aus"*	

8.2 ... *IN*

Emplois :

1. Même observation que pour *out*, mais l'ordre de prolificité est différent.
2. *Come in* et *go in* ont moins d'acceptions que *come out, go out.*
3. De même les compositions avec deux particules sont moins nombreuses avec *in* qu'elles ne le sont avec *out.*

Sens :

	•	→
+	surtout position à l'intérieur (d'un lieu, d'une période, de circonstances) : *Is there anybody in?* Il y a quelqu'un ?	aussi : mouvement vers l'intérieur. *Come in, get in:* entrez.
—	*"We're in the money"* (chanson) Nous sommes riches. latin *"in"*, allemand *"in"*	*Can anyone help falling in love?* Qui peut s'empêcher de tomber amoureux ?

8.3 ... *DOWN*

Emplois :

1. Emplois avec *go, come, run* un peu moins nombreux que pour *up.*
2. Avec les verbes exprimant à la fois un mouvement ou une position, les emplois sont relativement peu nombreux, rares avec *take* et *stand.*

Sens :

	→	•
+	Mouvement vers le bas, descente : *To fall down* : tomber Éloignement du point important : *We went down to Norfolk* : Nous sommes descendus sur Norfolk.	Jusqu'à un état d'anéantissement ou d'échec.
—	Diminution, réduction : *To slow down* : ralentir (mais on dit aussi *slow up*...) *Prices seldom go down* : Les prix vont rarement à la baisse.	*I feel it's time I stood down* : Je sens qu'il est temps de démissionner.

8.4 ... *ON*

Emplois : 1. On rencontre le plus souvent ce mot associé aux verbes décrivant plutôt des positions et des mouvements concernant des choses : *put on, get on, set on* et même *take on.* Mais *go on* et *be on* sont fréquents eux aussi.

2. *Upon (= up and on)* est, pour certains verbes, un équivalent de *on*, surtout *be upon*, mais aussi *take upon, come upon, fall upon, stand upon.*

Sens :

	•	→
+	État de contact : *Put on a hat* : mets un chapeau. Mise en action : *Switch on the light* : Allume la lumière. *Turn the radio on* : Allume la radio.	Progression, de la mise en marche à la fin : *Go on,* continuez. *Read on,* continuez à lire. *To put on speed,* accélérer.
—	*To put a good face on.* Faire bonne figure.	*What's going on?* Que se passe-t-il ?

N.-B. : *Off* est en opposition avec *on* pour ces deux fonctions principales.

9. INDEX DES PARTICULES

Avec références aux paragraphes où certaines sont particulièrement étudiées.

9.1 Sens général

Particule	Réf.	Sens
aback		vers l'arrière
aboard		à bord
about	(3.5, 9.2)	autour, au sujet de
above	(9.2)	au-dessus
abreast		au même niveau
abroad		à l'étranger
across	(9.2)	à travers
adrift		à la dérive
after		après
against	(9.2)	contre
aground		vers le sol
ahead		vers l'avant
aloft		à une grande hauteur
along	(9.2)	le long de
among		parmi
apart		séparation
around	(3.5, 9.2)	autour, environ
as		comme, en tant que
aside		sur le côté
astray		hors du droit chemin
astride		à califourchon
at	(3.5, 9.2)	position
away	(3.5, 9.2)	éloignement
back	(3.5, 9.2)	vers l'arrière
backwards		en arrière
before		avant
behind		derrière
below		en dessous
beneath		en dessous
beside		à côté
between		entre
beyond		au-delà
by	(3.5, 9.2)	près de
down	(3.5, 8.3)	vers le bas
for	(3.5, 9.2)	destination, désir
forth		vers l'avant
forward(s)		vers l'avant
from	(3.5, 9.2)	provenance
home		chez soi
in	(3.5, 8.2)	à l'intérieur
into	(3.5, 9.2)	vers l'intérieur
like		comme
near		près de
off	(3.5, 9.2)	éloignement
on	(8.4)	sur (position)
onto		sur (mouvement)
out, out of	(3.5, 8.1)	à/vers l'extérieur
outside		à l'extérieur
over	(3.5, 9.2)	au-dessus
past		près de, au-delà (mouvement)
round	(3.5, 9.2)	comme *around*
through	(3.5, 9.2)	à travers
to	(3.5, 9.2)	direction
together		ensemble
under		sous
up	(3.5, 7)	vers le haut
upon	(3.5, 9.2)	sur
with	(3.5, 9.2)	avec
within		à l'intérieur
without		hors de, sans

9.2 Principaux sens de quelques particules

Parmi les trente plus fréquentes, elles ont été regroupées par affinité (voir aussi p. 53).

OUT

away	Éloignement jusqu'à disparition. (Seulement comme adverbe.) (Sens dynamique... et sens statique.)
off	Idée d'interruption, d'éloignement, en contraste avec *on*.

ON

upon	Au-dessus de.
over	Mouvement, passage au-dessus, et position : être de l'autre côté d'un obstacle. Contraste avec *under, underneath.*
above	Plus haut (au propre et au figuré) que *over.* Contraste avec *below, beneath.*
against	Opposition à une force en sens contraire. Contraste avec *with.*
along	Mouvement le long d'une ligne, au propre comme au figuré.

IN

into	Insistance sur l'idée d'un passage de l'extérieur vers l'intérieur. Contraste avec *out of.*
to	Allant dans la direction d'un point concret ou abstrait. Proche de *for.*
from	Venant d'un point concret ou abstrait.
back	Position en recul, vers l'arrière. (Seulement comme adverbe.) Retour d'un mouvement, répétition.
for	Qui va dans une direction, vers un but, avec certitude ou grand désir.
with	Idée d'une association, d'un accord (abstrait ou concret). Contraste avec *against, without.*
at	Indique une position (comparer avec *in*). Avec un verbe de mouvement, peut exprimer une agressivité, une hostilité.
by	Indique une position ou un mouvement à proximité d'un repère. Comparer avec *near.*
about	Mouvement au hasard ou mouvement circulaire.
around *round*	Tout autour. Retour cyclique.
across	Traversée d'une ligne, d'une surface.
through	Traversée d'un volume.

10. PRÉFIXES ET SUFFIXES

Deux compositions

*throw **over*** (verbe de base + particule) = abandonner
***over**throw* (préfixe + verbe de base) = renverser
*weak**en*** (adjectif + suffixe) = affaiblir
re**christ**en (préfixe + nom + suffixe) = rebaptiser (1)

Préfixes + verbes

• A/AB/ABS

***a**wake from sleep* = sortir du sommeil
***a**vert a danger, a blow* = éviter un danger, un coup
***ab**solve* = absoudre, acquitter
***abs**tract a book* = résumer un livre
***abs**tain from drinking* = s'abstenir de boire (2)

• FOR/FORE

*smoking is strictly **for**bidden* = il est formellement interdit de fumer
*on that never-to-be **for**gotten day* = ce jour (à jamais) mémorable
fore**cast, **fore**see* = prévoir/fore**warn* = avertir, etc. (3)

Verbes + suffixes

*agit**ate*** = agiter, *navig**ate*** = naviguer, *communic**ate*** = communiquer,
*national**ize*** = nationaliser, *aston**ish*** = stupéfier, *carr**y*** = transporter. (4)

*black**en**, whit**en**, dark**en**, redd**en**...*
*broad**en**, lengt**hen**, short**en**, deep**en**...*
*hard**en**, soft**en**, sweet**en**, tough**en**...*
*madd**en**, quiet**en**, sadd**en**, fright**en**...* *etc.* (5)

Nom + verbe

She bottlefeeds, she doesn't breastfeed her baby; she sometimes spoon-feeds him = Elle nourrit son bébé au biberon, elle ne l'allaite pas ; elle le nourrit parfois à la cuillère. (6)

Quelques autres préfixes verbaux courants

be-	(A.S.)	sens privatif	***be**head* = décapiter
dis-	(L.)	*in two*	***dis**tinguer* = distinguer
		sens négatif	***dis**dain* = dédaigner
in-,	(A.S.)	*into*	***in**set* = insérer sur quelque chose
im-	(L.)	*in, into*	***in**sert* = insérer dans quelque chose
mis-	(A.S.) (F.)	*wrong*	***mis**take* = se méprendre

(7)

(1) Un verbe peut être « composé » de deux manières :
- soit par addition d'un ou plusieurs mots séparés, comme on l'a vu, pages 50 et suivantes.
- soit par adjonction d'un préfixe et/ou d'un suffixe à un verbe de base, ou encore à un adjectif ou à un nom, comme ici.

(2) Le préfixe **a**- peut être d'origine anglo-saxonne (AS) comme dans ***a**wake*, avec le sens de *out, from*, ou d'origine latine (L) comme dans ***a**vert* (latin *averto*, de *ab-* = *from* et *-verto* = *to turn*).

Mais ce préfixe peut prendre plusieurs formes ; par exemple ***ab***- dans ***ab**stract* = résumer, ou ***abs***- dans *abstain* = s'abstenir, sont d'origine latine. Attention : dans ***ab**solve*, c'est ***ab***- le préfixe (*ab-* = *from* et *solvo* = *to loose, to set free*).

(3) ***For***- dans ***for**bid* est d'origine anglo-saxonne (AS), dans le sens de *away*, d'où le sens *to prohibit, to command not to do.*
De même dans ***for**get* = *put away from the memory.*

Mais ***fore***- dans ***fore**cast,* ***fore**see,* ***fore**warn*, etc., est également anglo-saxon, avec le sens de *in front of* = avant, en avant.

(4) Il s'agit, entre autres, de suffixes d'origine française (F). Le suffixe ***ish***, par exemple, vient du participe présent des verbes français du troisième groupe (ex. : finissant).

(5) Tous ces verbes et un bon nombre d'autres de la même série ont pour caractère commun leur origine réflexive ou passive : *whit**en*** = se blanchir, être blanchi. Et ils appartiennent au langage concret des couleurs, des dimensions, des aspects.

(6) De même, on pourrait dire : *this teacher spoonfeeds his pupils* (= ce professeur mâche le travail de ses élèves) ; *no wonder the marks are skyrocketing* (pas étonnant que les notes s'envolent). Nouvel exemple de la grande souplesse de l'anglais.

(7) Consulter, le plus fréquemment possible, un bon dictionnaire étymologique, comme le *Chambers's*.

On y trouvera pour ***mis-***, par exemple :
mis- *This prefix has two sources ; it is either A.S. from root of verb* ***to miss*** *; or it stands for F.* ***mes-*** *from L. minus, less ; in both cases the meaning is wrong, ill.*

Compléments du verbe

Voir liste pages 180 à 185.

1. GÉNÉRALITÉS

Qu'ils appartiennent à un groupe nominal ou à un groupe verbal, les compléments du verbe forment un système aussi diversifié et étendu que le système des particules (voir «Verbes composés», pp. 50-71).
Ne seront décrits ci-dessous que les principaux traits de la transitivité et de l'intransitivité.

1.1 Verbes transitifs et verbes intransitifs

Tell me, do you read a lot ?
Dites-moi, est-ce que vous lisez beaucoup ?

Come in and sit down. (1)
Entrez et asseyez-vous.

1.2 Transitifs avec un complément

1.2.1 Groupe nominal

Have you read all these books? (2)
Avez-vous lu tous ces livres?

Now put them on my desk.
Maintenant, posez-les sur mon bureau.

1.2.2 Groupe verbal

I want you to tell me what you think of this one. (3)
Je désire que vous me disiez ce que vous pensez de celui-ci.

I can't resist asking the question.
Je ne résiste pas à l'envie de poser cette question.

Voir tableau page 74.

1.3 Transitifs avec deux compléments

1.3.1 Complément d'attribution

You gave your friend a strange answer. (4)
You gave a strange answer to your friend.
Vous avez donné à votre ami une étrange réponse.

1.3.2 Autres

Reading makes me happy or makes me cry. (5)
La lecture me rend heureux ou me fait pleurer.

Reading makes me another man.
La lecture fait de moi un autre homme.

(1) *Come, sit down, read* sont des verbes sans « complément d'objet ».
Sont **intransitifs** le verbe simple *come* et le verbe à particule *sit down*, car ils ne peuvent jamais avoir de complément d'objet direct (mais ils peuvent avoir un ou plusieurs « compléments de phrase » - *come with me, sit down on this chair*).

Est **transitif** *read* qui peut avoir un complément d'objet, même si, comme ici, il n'apparaît pas.
Voir dans l'index les verbes toujours transitifs (T), toujours intransitifs (I) ou tantôt l'un, tantôt l'autre (TI).

(2) Très nombreux sont les verbes simples comme *read* ou *put* complétés directement par un groupe nominal *(all these books)* ou par un pronom *(them)*. La syntaxe, dans ce cas, ne pose pas de problèmes.

Les constructions sont plus complexes quand il s'agit de verbes à particule. Pour la place de la particule et du complément d'objet, voir « Verbes à particule », **6.1**, page 60.

(3) Ici, le complément est un groupe verbal qui prend deux formes : **infinitif** après *want*, **forme en** ***-ing*** après *resist*. Pour ce groupe de verbes aussi important que celui des verbes dits irréguliers, voir tableau page suivante et liste pages 181 et suivantes.

(4) *A strange answer* = complément d'objet direct.
Your friend, to your friend — complément d'attribution.

Autres verbes de ce groupe :

• Utilisant *to* : *award, bring, cause, hand, lend, leave* (léguer), *offer, pass, pay, play, promise, read, refuse, say (*), sell, send, sing, show, take, teach, write.*

• Utilisant *for* : *look, bring, build, buy, catch, choose, cook (bake, boil, fry,* etc.*), do, fetch, find, get, keep, knit, leave, make, order, pay, reach, reserve, spare.*

• Utilisant *from* : *buy, steal.*

Sans préposition : *ask, cost, tell (*), wish.*

(5) Le deuxième complément est un adjectif *(happy)* ou un verbe *(cry)* ou un groupe nominal *(another man)*.

* *Tell* est toujours suivi d'un complément. Ce n'est pas obligatoire pour *say*.
He often ***tells me*** *that he reads a lot.*
That is what he says.

2. VERBES AYANT POUR COMPLÉMENT UN GROUPE VERBAL

2.1 Plutôt forme en *-ing*

I ***enjoy*** *going to the cinema but I* ***avoid*** *watching horror films.* (1)
J'aime beaucoup aller au cinéma, mais j'évite de voir des films d'horreur.

I usually ***hate*** *watching horror films, but of course I* ***I'll agree to*** *seeing this one with you. It* ***depends on your*** *coming with me.* (2)
D'habitude je déteste voir des films d'horreur, mais bien sûr je consens à voir celui-ci avec vous. Cela dépend si vous venez avec moi.

2.2 Plutôt infinitif avec *to*

If I can't ***afford*** *to pay for the tickets I'll* ***ask*** *you to lend me some money. Will you do it ?* (3)
Si je n'ai pas les moyens de payer les billets, je vous demanderai de me prêter un peu d'argent. Vous voudrez bien ?

2.3 Tantôt infinitif... ... tantôt forme en *-ing* (4)

	Tantôt infinitif...	... tantôt forme en *-ing*
a.	*I* ***advise*** *you to arrive early.* Je vous conseille d'arriver en avance.	*I* ***advise*** *arriving early.* Je conseille d'arriver en avance.
b.	*I think we're late: I didn't* ***hear*** *the bell ring.* Je crois qu'on est en retard : je n'ai pas entendu la cloche sonner.	*The film's about to start: I can* ***hear*** *the bell ringing.* Le film va commencer : j'entends la cloche sonner.
c.	*I must* ***remember*** *to tip the usherette: this is a French cinema.* Il faut que je me souvienne de donner un pourboire à l'ouvreuse : nous somme dans un cinéma français.	*I* ***remember*** *tipping the usherette with an English coin last time!* La dernière fois, je me souviens d'avoir donné une pièce anglaise à l'ouvreuse.
d.	*I* ***would hate*** *to miss the beginning of this film.* Je détesterais manquer le début du film.	*I* ***hate*** *missing the beginning of a film.* Je déteste manquer le début d'un film.

Remarque : les verbes à particule ont très souvent pour complément un groupe verbal.

(1) Sens : avec la forme en *-ing*, l'action est souvent vue d'une **manière plus concrète** qu'avec l'infinitif, qu'elle soit achevée ou non.
Dans beaucoup de cas cette forme exprime une **attitude personnelle** envers l'action concernée :
- soit plutôt **pour** : *enjoy, appreciate, benefit (by)*, etc.
- soit plutôt **contre** : *avoid, detest, dread* (craindre), etc.
- soit **neutre** : *consider, fancy*, etc.

(2) Structures :
- soit **construction directe** *(hate watching)* pour de très nombreux verbes : *enjoy, appreciate, avoid, detest, dread, consider, fancy*, etc.
- soit, pour les verbes intransitifs, à l'aide d'une **préposition** *(consent to)* : *benefit by, congratulate on, reproach for, with, think of*, etc.
- soit, pour les verbes transitifs, sur un **complément d'objet** (nom ou pronom) à partir d'une « construction directe » *(I enjoy **him** coming)* (ou indirecte *(I approve of **him** doing so)* ou, plus souvent, un **génitif** (nom ou pronom) : *I enjoy **his coming** with us, it depends on **your coming** with me.*

A noter : quelques expressions courantes bâties sur cette structure :
I don't mind, I'm keen on, I can't bear, I can't stand, it's no use, it's no good, it isn't worth... + ing.

(3) Sens : avec l'infinitif, l'action est vue souvent d'une **manière plus abstraite**. L'action est achevée, considérée plutôt dans son résultat.
La plupart de ces verbes expriment, grâce à l'infinitif, le **désir** de voir l'action réalisée.

Structures : d'une manière comparable à la forme en *-ing*, l'infinitif avec *to* peut se construire
- soit comme *afford to pay* : *agree, apply*, etc.
- soit avec un complément interposé comme *ask you to* : *allow, beg, order, want*, etc.

L'infinitif sans *to* n'est utilisé que pour les modaux - *will you do it* (voir page 38) et pour certains verbes auxiliaires - *have, let, make* (voir page 29).

(4) a. De même pour des verbes de sens voisin : *intend, propose, suggest, recommend, need, want*, etc.
Avec la forme en *-ing* l'action est envisagée davantage dans sa réalisation qu'avec l'infinitif avec *to*.

b. De même pour d'autres verbes exprimant une perception : *hear, listen, see, watch, feel, notice*, etc.
La forme en *-ing* insiste plus sur le déroulement de l'action, l'infinitif sans *to* sur le fait qu'elle a lieu.

c. De même pour *recall, remind.* La forme en *ing* est employée quand l'action a été réalisée, l'infinitif quand l'action n'est pas encore réalisée.

d. Les verbes exprimant une opinion « pour ou contre » - cf. (1) - peuvent être suivis d'un infinitif. Dans ce cas, au lieu d'exprimer pleinement un plaisir ou un déplaisir, ils dénotent un désir ou une ambition à l'aide d'un modal.

3. LE PASSIF

Cette forme est plus importante et plus fréquente en anglais qu'en français. Elle permet de donner la première place au sujet de l'action chaque fois qu'on le désire. Le choix entre la voix active et la voix passive est, ici encore, la responsabilité du locuteur.

3.1 Structure de base

Sujet + auxiliaire *be* + participe passé (+ *by* + complément)

Smith engaged me in 1984. Smith m'a embauché en 1984.	*I was engaged* (U.S. *hired*) *by Smith in 1984.* J'ai été embauché par Smith en 1984.	(1)

3.2 Équivalent du français *« ON »*

They have fired me. Ils m'ont renvoyé.	*I have been fired (by them).* J'ai été renvoyé (par eux). Je me suis fait renvoyer. **On** m'a renvoyé.	(2)

a. *It is said that I have been fired for lack of proficiency.*
On dit que j'ai été renvoyé pour incompétence.

(3)

b. *I'm said to have been fired for lack of proficiency.*
On dit de moi que j'ai été renvoyé pour incompétence.

3.3 *Get* > *be*

My pride got badly hurt.
Ma fierté a pris un mauvais coup. (4)

3.4 Verbes à particule

People will laugh ***at*** *me.* Les gens vont se moquer de moi.	*I'll be laughed* ***at.*** On va se moquer de moi.	(5)

3.5 Double passif

They have given my job to Tom. Ils ont donné mon travail à Tom.	*My job has been given to Tom.* Mon travail a été donné à Tom.	(6)
They have given Tom my job. Ils ont donné mon travail à Tom.	***Tom has been given my job.*** C'est à Tom qu'on a donné mon travail.	

(1) Cas général : on a le choix entre deux attitudes : avec la phrase active, l'accent est plutôt mis sur *Smith*, avec la phrase passive l'accent est plutôt mis sur *I*.
Cette tournure passive peut s'utiliser **à tous les temps** : *past* (page 24), *pre-present* (page 22) ou *futur* (page 20).
Elle peut s'accompagner de **modaux** :

I ***might*** *be fired.*
Il se pourrait que je sois renvoyé.

Elle n'est pas incompatible avec la **forme en** ***-ing*** :

I'm ***being*** *tested on my proficiency.*
On est en train de vérifier ma compétence.

Dans tous les cas, c'est l'auxiliaire *be* qui prend la marque du temps ou de la modalité.

(2) L'anglais préfère la voix passive à la voix active dans les cas suivants :

- la phrase active aurait comme sujet
• un pronom personnel indéterminé (*they* : « ils... », des gens)
• un pronom indéfini *(someone, nobody...)*
• un nom avec un sens général *(people)*

- la phrase est à un temps qui renvoie, comme ici, à une période indéterminée (voir «*Pre-present*, 4.3», page 22).

Cela évite tout naturellement de porter un jugement sur les causes, et permet de mettre l'accent sur le résultat, attitude qui est familière. C'est cette attitude que traduit le français « ON ».

(3) La tournure (a) permet de rendre la cause encore plus vague.
La tournure (b) remet le sujet en pleine lumière.
Il y a, dans les deux cas, une nuance d'incertitude que l'on peut traduire en français par un conditionnel.

Smith is said to have fired him for his lack of proficiency.
Smith l'aurait renvoyé pour incompétence.

Voir liste des verbes à complémentation page 180 (6).

(4) *Get*, avec son sens lexical « devenir » exprime plus fortement le changement d'état que *be* (comparer *to be drunk*, être ivre, et *to get drunk*, s'enivrer). *Become*, qui a le même sens, serait moins naturel.

(5) Le verbe et la particule prépositionnelle qui l'accompagne restent indissociables, même au passif. Exemples : *the doctor was sent for* (on a fait chercher le docteur), *he was taken care of, he was paid attention to* (on s'est occupé de lui).

(6) Dans *my job has been given to Tom*, l'accent est mis sur le complément direct de la phrase active.

Dans *Tom has been given my job*, c'est la personne qui devient à nouveau le centre de la phrase.
Cette tournure directe, très souvent employée, est propre à des verbes exprimant un rapport d'un individu à un autre. Voir liste page 180 (5).

Les formes Tableaux de conjugaison

Sommaire

- Les temps des auxiliaires sont indiqués **en gras** à l'intérieur des modèles de conjugaison.
- Les quatre formes ont été portées :

  + : affirmative   ? : interrogative
  – : négative   ?̲ : interro-négative

- Les formes contractées – qui sont les plus courantes dans la langue orale – se trouvent pages 90 et 91.
- Le point • représente l'infinitif du verbe sans *to.*

Verbes ordinaires

LE PRÉSENT
(present)

	SIMPLE	**PROGRESSIF**

VOIX ACTIVE

	SIMPLE	PROGRESSIF
+	I •	**I am** • ing
	he/she/it • s	**he/she/it is** • ing
	we/you/they •	**we/you/they are** • ing
?	do I • ?	**am I** • ing?
	does he/she/it • ?	**is he/she/it** • ing?
	do we/you/they • ?	**are we/you/they** • ing?
–	I do not •	**I am not** • ing
	he/she/it does not •	**he/she/it is not** • ing
	we/you/they do not •	**we/you/they are not** • ing
? –	do I not • ?	**am I not** • ing?
	does he/she/it not • ?	**is he/she/it not** • ing?
	do we/you/they not • ?	**are we/you/they not** • ing?

Présent simple de : *be.*

VOIX PASSIVE

	SIMPLE	PROGRESSIF
+	I am • ed	I am being • ed
	he/she/it is • ed	he/she/it is being • ed
	we/you/they are • ed	we/you/they are being • ed
?	am I • ed?	am I being • ed?
	is he/she/it • ed?	is he/she/it being • ed?
	are we/you/they • ed?	are we/you/they being • ed?
–	I am not • ed	I am not being • ed
	he/she/it is not • ed	he/she/it is not being • ed
	we/you/they are not • ed	we/you/they are not being • ed
? –	am I not • ed?	am I not being • ed?
	is he/she/it not • ed?	is he/she/it not being • ed?
	are we/you/they not • ed?	are we/you/they not being • ed?

et verbes auxiliaires

LE PRÉTÉRIT
(preterite)

	SIMPLE	PROGRESSIF
	VOIX ACTIVE	
+	I • ed he/she/it • ed we/you/they • ed	**I was** • ing **he/she/it was** • ing **we/you/they were** • ing
?	did I • ? did he/she/it • ? did we/you/they • ?	**was I** • ing? **was he/she/it** • ing? **were we/you/they** • ing?
–	I did not • he/she/it did not • we/you/they did not •	**I was not** • ing **he/she/it was not** • ing **we/you/they were not** • ing
? –	did I not • ? did he/she/it not • ? did we/you/they not • ?	**was I not** • ing? **was he/she/it not** • ing? **were we/you/they not** • ing?

Prétérit simple de : *be.*

	SIMPLE	PROGRESSIF
	VOIX PASSIVE	
+	I was • ed he/she/it was • ed we/you/they were • ed	I was being • ed he/she/it was being • ed we/you/they were being • ed
?	was I • ed? was he/she/it • ed? were we/you/they • ed?	was I being • ed? was he/she/it being • ed? were we/you/they being • ed?
–	I was not • ed he/she/it was not • ed we/you/they were not • ed	I was not being • ed he/she/it was not being • ed we/you/they were not being • ed
? –	was I not • ed? was he/she/it not • ed? were we/you/they not • ed?	was I not being • ed? was he/she/it not being • ed? were we/you/they not being • ed?

LE "PRESENT PERFECT"
(present perfect)

SIMPLE — **PROGRESSIF**

VOIX ACTIVE

	SIMPLE	PROGRESSIF
+	I have • ed he/she/it has • ed we/you/they have • ed	**I have been** • ing **he/she/it has been** • ing **we/you/they have been** • ing
?	have I • ed? has he/she/it • ed? have we/you/they • ed?	**have I been** • ing? **has he/she/it been** • ing? **have we/you/they been** • ing?
–	I have not • ed he/she/it has not • ed we/you/they have not • ed	**I have not been** • ing **he/she/it has not been** • ing **we/you/they have not been** • ing
? –	have I not • ed? has he/she/it not • ed? have we/you/they not • ed?	**have I not been** • ing? **has he/she/it not been** • ing? **have we/you/they not been** • ing?

"Present perfect" simple de : *be*

VOIX PASSIVE

	SIMPLE	PROGRESSIF
+	I have been • ed he/she/it has been • ed we/you/they have been • ed	**I have** been being • ed **he/she/it has** been being • ed **we/you/they have** been being • ed
?	have I been • ed? has he/she/it been • ed? have we/you/they been • ed?	**have I** been being • ed? **has he/she/it** been being • ed? **have we/you/they** been being • ed?
–	I have not been • ed he/she/it has not been • ed we/you/they have not been • ed	**I have not** been being • ed **he/she/it has not** been being • ed **we/you/they have not** been being • ed
? –	have I not been • ed? has he/she/it not been • ed? have we/you/they not been • ed?	**have I not** been being • ed? **has he/she/it not** been being • ed? **have we/you/they not** been being • ed?

Présent simple de : *have*

LE PLUS-QUE-PARFAIT
(pluperfect)

	SIMPLE	PROGRESSIF
	VOIX ACTIVE	
+	I had • ed	**I had been** • ing
	he/she/it had • ed	**he/she/it had been** • ing
	we/you/they had • ed	**we/you/they had been** • ing
?	had I • ed?	**had I been** • ing?
	had he/she/it • ed?	**had he/she/it been** • ing?
	had we/you/they • ed?	**had we/you/they been** • ing?
–	I had not • ed	**I had not been** • ing
	he/she/it had not • ed	**he/she/it had not been** • ing
	we/you/they had not • ed	**we/you/they had not been** • ing
? –	had I not • ed?	**had I not been** • ing?
	had he/she/it not • ed?	**had he/she/it not been** • ing?
	had we/you/they not • ed?	**had we/you/they not been** • ing?

Pluperfect simple de : *be.*

	SIMPLE	PROGRESSIF
	VOIX PASSIVE	
+	I had been • ed	**I had** been being • ed
	he/she/it had been • ed	**he/she/it had** been being • ed
	we/you/they had been • ed	**we/you/they had** been being • ed
?	had I been • ed?	**had I** been being • ed?
	had he/she/it been • ed?	**had he/she/it** been being • ed?
	had we/you/they been • ed?	**had we/you/they** been being • ed?
–	I had not been • ed	**I had not** been being • ed
	he/she/it had not been • ed	**he/she/it had not** been being • ed
	we/you/they had not been • ed	**we/you/they had not** been being • ed
? –	had I not been • ed?	**had I not** been being • ed?
	had he/she/it not been • ed?	**had he/she/it not** been being • ed?
	had we/you/they not been • ed?	**had we/you/they not** been being • ed?

Prétérit simple de : *have.*

LE FUTUR
(future)

SIMPLE	PROGRESSIF

VOIX ACTIVE

	SIMPLE	PROGRESSIF
+	I/we shall •	**I/we shall be • ing**
	he/she/it will •	**he/she/it will be • ing**
	you/they will •	**you/they will be • ing**
?	shall I/we • ?	**shall I/we be • ing?**
	will he/she/it • ?	**will he/she/it be • ing?**
	will you/they • ?	**will you/they be • ing?**
–	I/we shall not •	**I/we shall not be • ing**
	he/she/it will not •	**he/she/it will not be • ing**
	you/they will not •	**you/they will not be • ing**
? –	shall I/we not • ?	**shall I/we not be • ing?**
	will he/she/it not • ?	**will he/she/it not be • ing?**
	will you/they not • ?	**will you/they not be • ing?**

Futur simple de : *be.*

VOIX PASSIVE

	SIMPLE	PROGRESSIF
+	I/we shall be • ed	I/we shall be being • ed
	he/she/it will be • ed	he/she/it will be being • ed
	you/they will be • ed	you/they will be being • ed
?	shall I/we be • ed?	shall I be being • ed?
	will he/she/it be • ed?	will he/she/it be being • ed?
	will you/they be • ed?	will you/they be being • ed?
–	I/we shall not be • ed	I/we shall not be being • ed
	he/she/it will not be • ed	he/she/it will not be being • ed
	you/they will not be • ed	you/they will not be being • ed
? –	shall I/we not be • ed?	shall I/we not be being • ed?
	will he/she/it not be • ed?	will he/she/it not be being • ed?
	will you/they not be • ed?	will you/they not be being • ed?

LE FUTUR ANTÉRIEUR
(future perfect)

VOIX ACTIVE

	SIMPLE	PROGRESSIF
+	**I/we shall have** • ed	**I/we shall have been** • ing
	he/she/it will have • ed	**he/she/it will have been** • ing
	you/they will have • ed	**you/they will have been** • ing
?	**shall I/we have** • ed?	**shall I/we have been** • ing?
	will he/she/it have • ed?	**will he/she/it have been** • ing?
	will you/they have • ed?	**will you/they have been** • ing?
−	**I/we shall not have** • ed	**I/we shall not have been** • ing
	he/she/it will not have • ed	**he/she/it will not have been** • ing
	you/they will not have • ed	**you/they will not have been** • ing
? −	**shall I/we not have** • ed?	**shall I/we not have been** • ing?
	will he/she/it not have • ed?	**will he/she/it not have been** • ing?
	will you/they not have • ed?	**will you/they not have been** • ing?
	Futur de : *have*[1]	Futur antérieur de : *be.*

VOIX PASSIVE

	SIMPLE	PROGRESSIF
+	I/we shall have been • ed	I/we shall have been being • ed
	he/she/it will have been • ed	he/she/it will have been being • ed
	you/they will have been • ed	you/they will have been being • ed
?	shall I/we have been • ed?	shall I/we have been being • ed?
	will he/she have been • ed?	will he/she/it have been being • ed?
	will you/they have been • ed?	will you/they have been being • ed?
−	I/we shall not have been • ed	I/we shall not have been being • ed
	he/she/it will not have been • ed	he/she/it will not have been being • ed
	you/they will not have been • ed	you/they will not have been being • ed
? −	shall I/we not have been • ed?	shall I/we not have been being • ed?
	will he/she/it not have been • ed?	will he/she/it not have been being • ed?
	will you/they not have been • ed?	will you/they not have been being • ed?

(1) De même au passé : *I shall have had...*

LE CONDITIONNEL PRÉSENT
(present conditional)

VOIX ACTIVE

	SIMPLE	PROGRESSIF
+	I/we should •	**I/we should be** • ing
	he/she/it would •	**he/she/it would be** • ing
	you/they would •	**you/they would be** • ing
?	should I/we • ?	**should I/we be** • ing?
	would he/she/it • ?	**would he/she/it be** • ing?
	would you/they • ?	**would you/they be** • ing?
–	I/we should not •	**I/we should not be** • ing
	he/she/it would not •	**he/she/it would not be** • ing
	you/they would not •	**you/they would not be** • ing
? –	should I/we not • ?	**should I/we not be** • ing?
	would he/she/it not • ?	**would he/she/it not be** • ing?
	would you/they not • ?	**would you/they not be** • ing?

Conditionnel présent de : *be.*

VOIX PASSIVE

	SIMPLE	PROGRESSIF
+	I/we should be • ed	I/we should be being • ed
	he/she/it would be • ed	he/she/it would be being • ed
	you/they would be • ed	you/they would be being • ed
?	should I/we be • ed?	should I be being • ed?
	would he/she/it be • ed?	would he/she/it be being • ed?
	would you/they be • ed?	would you/they be being • ed?
–	I/we should not be • ed	I/we should not be being • ed
	he/she/it would not be • ed	he/she/it would not be being • ed
	you/they would not be • ed	you/they would not be being • ed
? –	should I/we not be • ed?	should I/we not be being • ed?
	would he/she/it not be • ed?	would he/she/it not be being • ed?
	would you/they not be • ed?	would you/they not be being • ed?

LE CONDITIONNEL PASSÉ
(past conditional)

	SIMPLE	**PROGRESSIF**
	VOIX ACTIVE	
+	**I/we should have** • ed **he/she/it would have** • ed **you/they would have** • ed	**I/we should have been** • ing **he/she/it would have been** • ing **you/they would have been** • ing
?	**should I/we have** • ed? **would he/she/it have** • ed? **would you/they have** • ed?	**should I/we have been** • ing? **would he/she/it have been** • ing? **would you/they have been** • ing?
−	**I/we should not have** • ed **he/she/it would not have** • ed **you/they would not have** • ed	**I/we should not have been** • ing **he/she/it would not have been** • ing **you/they would not have been** • ing
? −	**should I/we not have** • ed? **would he/she/it not have** • ed? **would you/they not have** • ed?	**should I/we not have been** • ing? **would he/she/it not have been** • ing? **would you/they not have been** • ing?
	Conditionnel présent de : *have* (1).	Conditionnel passé de : *be.*
	VOIX PASSIVE	
+	I/we should have been • ed he/she/it would have been • ed you/they would have been • ed	I/we should have been being • ed he/she/it would have been being • ed you/they would have been being • ed
?	should I/we have been • ed? would he/she have been • ed? would you/they have been • ed?	should I/we have been being • ed? would he/she/it have been being • ed? would you/they have been being • ed?
−	I/we should not have been • ed he/she/it would not have been • ed you/they would not have been • ed	I/we should not have been being • ed he/she/it would not have been being • ed you/they would not have been being • ed
? −	should I/we not have been • ed? would he/she/it not have been • ed? would you/they not have been • ed?	should I/we not have been being • ed? would he/she/it not have been being • ed? would you/they not have been being • ed?

(1) De même au passé : *I should have had.*

L'IMPÉRATIF
(imperative)

Forme affirmative	**Forme négative**
• !	Do not • ! (1)
Let us • ! (2)	Let us not • ! (2)

(1) On peut ajouter le pronom personnel *you*, afin de rendre l'ordre encore plus impératif : *don't you move !* = ne t'avise pas de bouger !

(2) Peut être utilisée à la troisième personne : *let him / them come !* = qu'il(s) vienne(nt) !

PRONONCIATION ET ORTHOGRAPHE
des quatre formes du verbe anglais

LIKE   LIKES - LIKED - LIKING
1 2 3

1. Prononciation de la terminaison en **-s** ou en **-es** de la troisième personne du singulier du présent

• **Le -s se prononce... [s]**

- APRÈS LES CONSONNES :
[f] *bluffs* [k] *blinks* [p] *grasps*
[t] *lifts* [θ] *baths*

• **Le -s se prononce... [z]**

- APRÈS LES CONSONNES :
[v] *loves* [g] *bangs* [b] *disturbs*
[d] *binds* [l] *travels* [m] *booms*
[n] *balloons* [ð] *bathes*

- APRÈS UNE VOYELLE OU UNE DIPHTONGUE COMME :
[i] *carry / **ies*** [ei] *plays* [aɪ] *sighs*

• **Le *-es* se prononce... [iz]**

- APRÈS LES CONSONNES :
[s] *convinces* [z] *proses* [ʒ] *judges*

- **DE MÊME, APRÈS ADDITION D'UN E DE SOUTIEN** (2)

[s] *harrass* - ***es*** [z] *buzz* - ***es*** [ʃ] *wash* - ***es***
watch - ***es***

2. Prononciation de la terminaison en -**ed** des verbes réguliers

- **Le *-ed* ne se prononce jamais [ed]**

- **Il se prononce [id] après :**

[t] *lift**ed*** [d] *hand**ed***

- **Il se prononce [t] après :**

[f] *laugh**ed*** [k] *book**ed*** [p] *tapp**ed***
[s] *convinc**ed*** [ʃ] *wash**ed***

- **Il se prononce [d] dans tous les autres cas.**

3. Modifications orthographiques

- ***Y*** **se change en *-ie* :**

- devant le s de la 3e personne du singulier

carry → *carr**ies*** (1)

- et aux prétérit et participe passé

carry → *carr**ied***

- mais il subsiste devant *-ing*

carry → *carry**ing***

- **Addition d'un -e de soutien devant le s**

harrass → *harrass**es*** (2)

- **A la forme en *-ing*, simple addition, sauf :**

dye → *dy**ing*** et *lie* → *ly**ing***
et *love* → *loving*

de même pour tous les cas où l'infinitif se termine en e.

- **De même aussi pour les formes en *-ed* :**

n'ajouter que le d à l'infinitif

love → *loved*

- **Redoublement de la consonne finale :**

lorsque cette consonne est **immédiatement précédée d'une voyelle courte accentuée**

beg → *be**gg**ed, be**gg**ing*
et *admit* → *admi**tt**ed, admi**tt**ing*

LES CONTRACTIONS

Forme affirmative (+)		Form
auxiliaire *BE*		
I am	I'm	I am not
he is	he's	he is not
we are	we're	we are not
		I was not
		we were not
auxiliaire *HAVE*		
I have	I've	I have not
he has	he's	he has not
we have	we've	we have not
I had	I'd	I had not
auxiliaire *DO*		
		I do not
		he does not
		he did not
auxiliaire *SHALL/WILL*		
I shall	I'll	I shall not
he will	he'll	he will not
auxiliaire *SHOULD/WOULD*		
I should	I'd	I should not
he would	he'd	he would not
I should have	I should've	I should not have
he would have	he would've	he would not have
auxiliaire *CAN*		I cannot
auxiliaire *COULD*		I could not
auxiliaire *MUST*		I must not
auxiliaire *MIGHT*		I might not

négative (–)	Forme interro-négative (?–)	
I'm not	am I not?	aren't I? (1) ain't I? (1)
he isn't he's not	is he not?	isn't he?
we aren't	are we not?	aren't we?
I wasn't	was I not?	wasn't I?
we weren't	were we not?	weren't we?
I haven't	have I not?	haven't I?
he hasn't	has he not?	hasn't he?
we haven't	have we not?	haven't we?
I hadn't	had I not?	hadn't I?
I don't	do I not?	don't I?
he doesn't	does he not?	doesn't he?
he didn't	did he not?	didn't he?
I shan't	shall I not?	shan't I?
he won't	will he not?	won't he?
I shouldn't	should I not?	shouldn't I?
he wouldn't	would he not?	wouldn't he?
I shouldn't have	should I not have?	shouldn't I have?
he wouldn't have	would he not have?	wouldn't he have?
I can't	can I not?	can't I?
I couldn't	could I not?	couldn't I?
I mustn't	must I not?	mustn't I?
I mightn't	might I not?	mightn't I?

(1) Populaire.

Verbes irréguliers

Voir liste alphabétique pages 186 à 192.

1. DÉFINITION

1.1 Les verbes dits «irréguliers» ont des formes spéciales pour le prétérit et le participe passé, contrairement aux verbes dits «réguliers» ou faibles (f) qui forment leur prétérit et leur participe passé en *ed*.

1.2 Même en comptant les verbes formés d'un «radical irrégulier» précédé d'un préfixe *(stand / understand / withstand)*, on peut constater que les verbes «irréguliers» sont peu nombreux par rapport aux verbes réguliers.

1.3 Verbes anciens, jamais d'origine latine, les verbes dits irréguliers (ou forts) concernent généralement des activités vitales ou quotidiennes du temps où la langue s'est créée :

- activités liées à la survie :

  drink, eat, sleep; build, dwell...
- mouvements et activités du corps :

  lie, run, swim; see, smell; make...
- relations humaines de communication :

  say, speak, tell; teach, learn...
- relations humaines agressives :

  beat, fight, hit, strike...
- relations humaines commerciales :

  bid, buy, sell...

2. FORMES

2.1 Ce sont celles que peuvent prendre :

• les voyelles, symbolisées ici par les lettres A, B et C, qui changent d'une forme à l'autre.

(Quatre cas) AAA, ABB, ABA, ABC

• les terminaisons :

(Trois cas)
• sans changement
• dentale [d] ou [t] (Ces consonnes sont ajoutées quand elles n'existent pas déjà.)
• + *n*

2.2 Schéma de classement :

TERMINAISON	VOYELLES			
	AAA	ABB	ABA	ABC
sans changement	AAA (1)	ABB (3)	ABA (7.I)	ABC (8.I)
[d] [t]	AAA + [d] (2) AAA + [t] (2)	ABB + [d] (4) ABB + [t] (5)		
n		ABB + *n* (6)	ABA + *n* (7.II)	ABC + *n* (8.2)

La 1re colonne donne la base verbale, la 2e le prétérit (*past*), la 3e le participe passé (*past participle*).

3. TABLEAUX DÉTAILLÉS

Les chiffres du tableau ci-dessus renvoient aux tableaux détaillés, pages suivantes.
Les tableaux 2, 4 et 5 comprennent des verbes dont le prétérit et le participe passé sont terminés par *d* ou par *t*.

Le tableau 9 rassemble des verbes très proches des verbes réguliers en *ed*. Ailleurs la possibilité d'une forme « faible » en *ed* est indiquée par la lettre *f*.

Seuls les sens les plus courants y sont indiqués. Les verbes rares sont précédés de la lettre *R*.

Voir page 70 les verbes composés par adjonction de préfixes et/ou de suffixes.

3.1 Tableau 1

	A	A	A	Ø
	[i]	[i]	[i]	
	hit	*hit*	*hit*	atteindre, frapper
f	*knit*	*knit*	*knit*	tricoter*
	quit	*quit*	*quit*	quitter
	slit	*slit*	*slit*	fendre, inciser
	split	*split*	*split*	fendre
f	*rid*	*rid*	*rid*	débarrasser*
	bid	*bid*	*bid*	offrir (prix)
		bade	*bidden*	ordonner
	[e]	[e]	[e]	
	bet	*bet*	*bet*	parier
	let	*let*	*let*	laisser, permettre, louer
	set	*set*	*set*	placer
	shed	*shed*	*shed*	verser (larmes, sang)
	spread	*spread*	*spread*	étendre, répandre
	sweat	*sweat*	*sweat*	suer
	[ʌ]	[ʌ]	[ʌ]	
	cut	*cut*	*cut*	couper
	shut	*shut*	*shut*	fermer
	thrust	*thrust*	*thrust*	enfoncer
	[u]	[u]	[u]	
	put	*put*	*put*	mettre
	[ɔ]	[ɔ]	[ɔ]	
	cost	*cost*	*cost*	coûter
	[i:]	[i:]	[i:]	
	beat	*beat*	*beat*	battre*
			beaten	
	[ə:]	[ə:]	[ə:]	
	burst	*burst*	*burst*	éclater
	hurt	*hurt*	*hurt*	faire mal
	[a:]	[a:]	[a:]	
	cast	*cast*	*cast*	lancer*

* ***knit :*** régulier au sens propre *(a knitted sweater)*, irrégulier au sens figuré *(a well-knit plot :* une conspiration bien ourdie*)*.
* ***rid :*** surtout employé au participe passé : *to get rid of :* se débarrasser de.
* ***beat :*** le participe passé est *beat* dans *dead-beat* (« crevé de fatigue ») (fam.)
* ***cast :*** surtout au sens figuré.

3.2 Tableau 2

	A	A	A	d→t +t +d
1. d→t	[i]	[i]	[i]	
	build	*built*	*built*	bâtir
R f	*gild*	*gilt*	*gilt*	dorer*
	[e]	[e]	[e]	
	bend	*bent*	*bent*	courber
	lend	*lent*	*lent*	prêter
R	*rend*	*rent*	*rent*	déchirer
	send	*sent*	*sent*	envoyer
	spend	*spent*	*spent*	dépenser, passer (temps)
	[ə:]	[ə:]	[ə:]	
Rf	*gird*	*girt*	*girt*	ceindre
2. +t	[i]	[i]	[i]	
f	*spill*	*spilt*	*spilt*	répandre (liquide)
	[e]	[e]	[e]	
	dwell	*dwelt*	*dwelt*	habiter
f	*smell*	*smelt*	*smelt*	sentir (nez)
f	*spell*	*spelt*	*spelt*	épeler
	[ə:]	[ə:]	[ə:]	
f	*burn*	*burnt*	*burnt*	brûler
f	*learn*	*learnt*	*learnt*	apprendre
	[ɔi]	[ɔi]	[ɔi]	
f	*spoil*	*spoilt*	*spoilt*	gâter, gâcher
3. +d	[æ]	[æ]	[æ]	
	have	*had*	*had*	avoir
	[ei]	[ei]	[ei]	
	make	*made*	*made*	fabriquer
	lay	*laid*	*laid*	poser à plat
	pay	*paid*	*paid*	payer
	say	*said*	*said*	dire*
f	*stay*	*staid*	*staid*	rester

* *gild :* le plus souvent faible.
* *say :* la voyelle est courte ([sed]) au prétérit et au participe passé, alors qu'elle est longue dans *gainsay* (contredire). Ce verbe pourrait être classé dans le tableau 4.

3.3 Tableau 3

	A	B	B	Ø
	[i]	[ʌ]	[ʌ]	
	cling	*clung*	*clung*	s'accrocher
	dig	*dug*	*dug*	creuser
	fling	*flung*	*flung*	lancer, jeter
	sling	*slung*	*slung*	lancer (fronde)
	slink	*slunk*	*slunk*	aller furtivement
	spin	*spun*	*spun*	tournoyer
	stick	*stuck*	*stuck*	coller
	sting	*stung*	*stung*	piquer (insecte)
	string	*strung*	*strung*	enfiler*
	swing	*swung*	*swung*	(se) balancer
	wring	*wrung*	*wrung*	tordre
	win	*won*	*won*	gagner
	[æ]			
f	*hang*	*hung*	*hung*	pendre*
	[ai]			
	strike	*struck*	*struck*	frapper*
f	*abide*	*abode*	*abode*	demeurer
	slide	*slid*	*slid*	glisser
		[ɔ]	[ɔ]	
	shine	*shone*	*shone*	briller*
	[i:]	*[ou]*	*[ou]*	
f	*heave*	*hove*	*hove*	soulever*
f	*awake*	*awoke*	*awoke*	éveiller

* ***string :*** on utilise le participe passé régulier dans *stringed instruments* (instruments à cordes).
* ***hang :*** le verbe est régulier dans le sens de : exécuter par pendaison.
* ***strike :*** au sens figuré, le participe passé peut être *stricken*.
* ***shine :*** *to shine shoes* (cirer des chaussures) est régulier.
* ***heave :*** le verbe n'est irrégulier que dans la langue des marins *(to heave the anchor :* lever l'ancre*)*.

3.4 Tableau 4

	A	B	B	+d
	[i:]	[e]	[e]	
	lead	*led*	*led*	mener
	read	*read*	*read*	lire
	bleed	*bled*	*bled*	saigner
	breed	*bred*	*bred*	élever (bêtes) *
	feed	*fed*	*fed*	nourrir
	flee	*fled*	*fled*	fuir *
f	*speed*	*sped*	*sped*	(se) hâter
	[æ]	[u]	[u]	
	stand	*stood*	*stood*	être debout
	[e]	[ou]	[ou]	
	sell	*sold*	*sold*	vendre
	tell	*told*	*told*	raconter
	[u:]	[ɔ]	[ɔ]	
	shoe	*shod*	*shod*	ferrer*
	[ai]	[au]	[au]	
	bind	*bound*	*bound*	lier
	find	*found*	*found*	trouver
	grind	*ground*	*ground*	moudre
	wind	*wound*	*wound*	enrouler
	[ou]	[ae]	[ae]	
R f	*clothe*	*clad*	*clad*	vêtir
		[e]	[e]	
	hold	*held*	*held*	tenir
	[iə]	[ə:]	[ə:]	
	hear	*heard*	*heard*	entendre

* ***breed :*** quand il s'agit d'enfants : *bring up*.
* ***flee :*** à l'infinitif on emploie plutôt *fly away*.
* ***shoe :*** pour les personnes, s'emploie surtout au participe passé *(well shod :* bien chaussé).

3.5 Tableau 5

	A	B	B	+t
	[i:]	[e]	[e]	
R f	*bereave*	*bereft*	*bereft*	dépouiller
f	*cleave*	*cleft*	*cleft*	fendre *
	leave	*left*	*left*	laisser, quitter
	deal	*dealt*	*dealt*	distribuer
f	*dream*	*dreamt*	*dreamt*	rêver
f	*lean*	*leant*	*leant*	s'appuyer
f	*leap*	*leapt*	*leapt*	sauter
	mean	*meant*	*meant*	signifier
	creep	*crept*	*crept*	ramper
	feel	*felt*	*felt*	ressentir
	keep	*kept*	*kept*	garder
	kneel	*knelt*	*knelt*	s'agenouiller
	meet	*met*	*met*	(se) rencontrer
	sleep	*slept*	*slept*	dormir
	sweep	*swept*	*swept*	balayer
	weep	*wept*	*wept*	pleurer
		[ɔ:]	[ɔ:]	
f	*beseech*	*besought*	*besought*	implorer
	seek	*sought*	*sought*	chercher
	bring	*brought*	*brought*	apporter
	think	*thought*	*thought*	penser
	buy	*bought*	*bought*	acheter
	fight	*fought*	*fought*	combattre
	catch	*caught*	*caught*	attraper
	teach	*taught*	*taught*	enseigner
	[i]	[æ]	[æ]	
	sit	*sat*	*sat*	être assis
	spit	*spat*	*spat*	cracher
	[ai]	[i]	[i]	
	light	*lit*	*lit*	allumer *
	[e]	[ɔ]	[ɔ]	
	get	*got*	*got*	obtenir *
	[u:]		[	
	lose	*lost*	*lost*	perdre
	shoot	*shot*	*shot*	tirer (armes)

* ***cleave :*** emplois courants du participe passé : *cloven* dans *cloven hoof* (sabot/pied fourchu), *cleft* dans *a cleft stick* (dans une impasse).
* ***light :*** le participe passé régulier est employé comme une épithète : *a lighted candle*. Le participe passé irrégulier s'emploie après *be (the candle is lit)* et dans les composés *(floodlit* = illuminé*)*.
* ***get :*** *gotten* = *obtained, become* (U.S.). Dans les composés *forget* → *forgotten* (G.B.) beget, begotten qui pourraient être classés dans le tableau 6.

3.6. Tableau 6

	A	B	B	+n
	[e]	[ɔ]	[ɔ]	
	tread	*trod*	*trodden*	piétiner
	[i:]	[ou]	[ou]	
f	*cleave*	*clove*	*cloven*	fendre
		(cleft	*cleft)*	
	speak	*spoke*	*spoken*	parler
	steal	*stole*	*stolen*	dérober
	weave	*wove*	*woven*	tisser
	freeze	*froze*	*frozen*	geler
	[u:]	[ou]	[ou]	
	choose	*chose*	*chosen*	choisir
	[ei]			
	break	*broke*	*broken*	casser*
f	*wake*	*woke*	*woken*	réveiller*
	[ai]	[i]	[i]	
	bite	*bit*	*bit/ten*	mordre
	chide	*chid*	*chidden*	gronder
	hide	*hid*	*hid/den*	cacher*
	[ei]	[ei]	[ei]	
	lie	*lay*	*lain*	être couché*
	[ɛə]	[ɔ:]	[ɔ:]	
	bear	*bore*	*born/e*	(sup)porter*
	tear	*tore*	*torn*	déchirer
	swear	*swore*	*sworn*	jurer
	wear	*wore*	*worn*	porter, user (vêtements)

* **break :** le participe passé *broke* est employé dans un sens familier : « fauché ».
* **wake :** *woke* ou *waked, woken* ou *waked*, il y a beaucoup d'incertitudes.
* **hide :** *hidden* plutôt après *be : he's hidden by the tree,*
hid plutôt après *have : he has hid somewhere.*
* **lie :** régulier dans le sens de mentir.
* **bear :** *to be born* = naître (verbe passif).

3.7 Tableau 7

	A	B	A	Ø +n
1. Ø				
	[ʌ]	[æ]	[ʌ]	
	run	*ran*	*run*	courir
	[ʌ]	[ei]	[ʌ]	
	come	*came*	*come*	venir
2. +n				
	[i]	[ei]	[i]	
	bid	*bade*	*bidden*	commander
		(bid	*bid)*	offrir (prix)
	give	*gave*	*given*	donner
	[i:]	[e]	[i:]	
	eat	*ate*	*eaten*	manger *
		[ɔ:]		
	see	*saw*	*seen*	voir
		[ɔ]		
	be	*was*	*been*	être
		(were)		
	[a:]	[e]	[a:]	
	fall	*fell*	*fallen*	tomber
		[u:]		
	draw	*drew*	*drawn*	tirer
	[ei]	[u]	[ei]	
	shake	*shook*	*shaken*	secouer
	take	*took*	*taken*	prendre
		[u:]		
f	*slay*	*slew*	*slain*	massacrer
	[ou]	[u:]	[ou]	
	blow	*blew*	*blown*	souffler
	grow	*grew*	*grown*	croître
	throw	*threw*	*thrown*	jeter
		[ju:]		
	know	*knew*	*known*	savoir

* ***eat :*** *ate* est prononcé [et] en Grande-Bretagne et [eit] aux États-Unis.

3.8 Tableau 8

	A	B	C	Ø +n	
1. Ø					
	[i]	[æ]	[ʌ]		
	begin	*began*	*begun*	commencer	
	swim	*swam*	*swum*	nager	
f	*ring*	*rang*	*rung*	sonner*	
	sing	*sang*	*sung*	chanter	
	spring	*sprang*	*sprung*	bondir	
	drink	*drank*	*drunk*	boire*	
	shrink	*shrank*	*shrunk*	se rétrécir*	
	sink	*sank*	*sunk*	sombrer*	
	stink	*stank*	*stunk*	puer	
2. +n					
	[ai]	[ou]	[i]		
	drive	*drove*	*driven*	conduire	
	strive	*strove*	*striven*	s'efforcer	
f	*thrive*	*throve*	*thriven*	prospérer	
	ride	*rode*	*ridden*	chevaucher	
	stride	*strode*	*stridden*	enjamber	
	smite	*smote*	*smitten*	frapper	
	write	*wrote*	*written*	écrire	
	rise	*rose*	*risen*	se lever	
	[u:]	[i]	[ʌ]		
	do	*did*	*done*	faire	
	[ou]	[e]	[ʌ]		
	go	*went*	*gone*	aller	
	[ai]	[u:]	[ou]		
	fly	*flew*	*flown*	voler (air)	

* ***ring :*** régulier dans le sens de : encercler.
* ***drink :*** le participe passé *drunken* est utilisé comme épithète *(a drunken man)* mais on dit : *he is drunk.*
* ***shrink :*** de même *shrunken* = ratatiné.
* ***sink :*** de même *sunken* = creux (joues, yeux).

3.9 Tableau 9

VERBES AYANT UN PRÉTÉRIT EN *ED* ET POUVANT AVOIR UN PARTICIPE PASSÉ EN *ED*

	A	Af	A		+n
	[ɔ:]	[ɔ:]	[ɔ:]		
f	*saw*	*sawed*	*sawn*	scier	
	[u:]	[u:]	[u:]		
f	*strew*	*strewed*	*strewn*	joncher	
	[ju:]	[ju:]	[ju:]		
f	*hew*	*hewed*	*hewn*	tailler à la hache	
	[ou]	[ou]	[ou]		
f	*mow*	*mowed*	*mown*	faucher	
f	*show*	*showed*	*shown*	montrer	
f	*sow*	*sowed*	*sown*	semer	
f	*sew*	*sewed*	*sewn*	coudre	
f	*grave*	*graved*	*graven*	graver	
f	*lade*	*laded*	*laden*	charger	
	AAf	B			
	[e]	[e]	[ou]		
f	*swell*	*swelled*	*swollen*	enfler	
	[ai]	[ai]	[i]		
f	*shrive*	*shrived*	*shriven*	confesser	
	[iə]	[iə]	[ɔ:]		
f	*shear*	*sheared*	*shorn*	tondre	

Dans cette catégorie le participe passé est le plus souvent devenu aussi régulier. La forme irrégulière est quelquefois conservée pour l'adjectif.

On peut y ajouter des formes isolées comme
wrought (de *to work* = œuvrer) dans *wrought iron* = le fer forgé,
shaven dans *a clean-shaven face* = un visage bien rasé,
molten (de *to melt* = fondre) dans *molten lead* = plomb fondu,
rotten (de *to rot* = pourrir) dans *rotten eggs*,
alors que les participes passés à valeur verbale sont réguliers.

Le questionnement

Questions fermées (on attend une réponse par

Avec un verbe

QUESTIONS SIMPLES (1)	INTERRO-NÉGATIVES (2)
Do you go with him? Allez-vous avec lui?	*Don't you go with him?* N'allez-vous pas avec lui?
Does she go with him? Va-t-elle avec lui?	*Doesn't she go with him?* Ne va-t-elle pas avec lui?
Did you go with him? Vous êtes allé avec lui?	*Didn't you go with him?* N'êtes-vous pas allé avec lui?

Avec un auxiliaire ordinaire

Are you going with him? Allez-vous avec lui?	*Aren't you going with him?* N'allez-vous pas avec lui?
Is she going with him? Va-t-elle avec lui?	*Isn't she going with him?* Ne va-t-elle pas avec lui?
Are they going with him? Vont-ils avec lui?	*Aren't they going with him?* Ne vont-ils pas avec lui?
Has she gone with him? Est-elle partie avec lui?	*Hasn't she gone with him?* N'est-elle pas partie avec lui?
Have they gone with him? Sont-ils partis avec lui?	*Haven't they gone with him?* Ne sont-ils pas partis avec lui?
Could she go with him? Pourrait-elle aller avec lui?	*Couldn't she go with him?* Ne pourrait-elle pas aller avec lui?

---

(1) Voir tableaux de formes, p. 80.
(2) On attend plutôt une réponse positive. A l'impératif, la forme interro-négative *don't you move!* est plus catégorique que *stay here!* ou *don't move!*

yes ou *no*).

Réponses courtes

ordinaire (régulier ou irrégulier)

AVEC REPRISE (3)	... n'est-ce pas ?	Oui/Si	Non (4)
(+) *You go with him,*	*don't you?*	*Yes I do*	*No I don't*
(−) *You don't go with him,*	*do you?*		
(+) *She goes with him,*	*doesn't she?*	*Yes she does*	*No she doesn't*
(−) *She doesn't go with him,*	*does she?*		
(+) *You went with him,*	*didn't you?*	*Yes I did*	*No I didn't*
(−) *You didn't go with him,*	*did you?*		

ou un modal

(+) *You're going with him,*	*aren't you?*	*Yes I am*	*No I'm not*
(−) *You aren't going with him,*	*are you?*		
(+) *She's going with him,*	*isn't she?*	*Yes she is*	*No she isn't*
(−) *She isn't going with him,*	*is she?*		
(+) *They're going with him,*	*aren't they?*	*Yes they are*	*No they aren't*
(−) *They aren't going with him,*	*are they?*		
(+) *She's gone with him,*	*hasn't she?*	*Yes she has*	*No she hasn't*
(−) *She hasn't gone with him,*	*has she?*		
(+) *They've gone with him,*	*haven't they?*	*Yes they have*	*No they haven't*
(−) *They haven't gone with him,*	*have they?*		
(+) *She could go with him,*	*couldn't she?*	*Yes she could*	*No she couldn't*
(−) *She couldn't go with him,*	*could she?*		

---

(3) Cette reprise s'appelle *question tag*. Intonation ascendante : on demande un renseignement. Intonation descendante : on demande confirmation.
(4) Réponses longues : *yes* + forme affirmative (+)! *no* + forme négative (−).

Questions ouvertes * Réponses (1)

Avec un verbe ordinaire

Questions	Réponses	
Where does she go to school? Où va-t-elle à l'école ?	*She goes to school* ***in London.*** Elle va à l'école à Londres.	(+)
	She doesn't go to school. Elle ne va pas à l'école.	(−)
When do you go to London? Quand allez-vous à Londres ?	*I go to London* ***every week.*** Je vais à Londres chaque semaine.	(+)
	I never go to London. Je ne vais jamais à Londres.	(−)
Why did he go to London? Pourquoi est-il allé à Londres ?	***Because he had to*** *go to London.* Parce qu'il le devait.	(+)
	Because he didn't like it here. Parce qu'il ne se plaisait pas ici.	(−)

Avec un auxiliaire ou un modal

Questions	Réponses	
Where is he going? Où va-t-il ?	*He's going* ***to London.*** Il va à Londres.	(+)
	But he isn't going ! Mais il ne s'en va pas !	(−)
How far can she swim? Jusqu'où peut-elle nager ?	*She can swim* ***as far as that island.*** Elle peut nager jusqu'à cette île.	(+)
	She can't swim... Elle ne sait pas nager...	(−)
How long have they been reading? Depuis combien de temps lisent-ils ?	*They've been reading* ***for 3 hours.*** Cela fait 3 heures qu'ils lisent.	(+)
	They haven't started yet. Ils n'ont pas encore commencé.	(−)

Avec un pronom interrogatif sujet (7)

Questions	Réponses	
Who will go to London with me? Qui veut m'accompagner à Londres ?	***John will*** *go to London with you.* John t'accompagnera.	(+)
What happened? Que s'est-il passé ?	***Nothing*** *happened.* Il ne s'est rien passé.	(−)

Avec un pronom interrogatif complément

Questions	Réponses	
Who did you meet in London? Qui as-tu rencontré à Londres ?	*I met* ***a lot of people*** *there.* J'y ai rencontré beaucoup de monde.	(+)
What does he have to do in London? Que doit-il faire à Londres ?	*He has* ***to work.*** Il doit travailler.	(+)

Réactions

ÉTONNEMENT (2)	CONSTATATION (3)	... AUSSI... NON PLUS	CONTRADICTION (4)
Does she?	*So she does!*	*So does John.*	*Tom doesn't.*
Doesn't she?		*Neither do I.*	*We do.*
Do you?	*So you do!*	*So do my parents.*	*I never do.*
Don't you? (5)		*Neither do we.*	*John does.*
Did he? (6)	*So he did!*	*So did she.*	*Tom did.*
Didn't he?		*Neither did they.*	*I did.*
Is he?	*So he is!*	*So is she.*	*I'm not.*
Isn't he?		*Neither are we.*	*They are.*
Can she?	*So she can!*	*So can I.*	*He can't.*
Can't she?		*Neither can I.*	*He can.*
Have they?	*So they have!*	*So have we.*	*He hasn't.*
Haven't they?		*Neither have we.*	*I have.*

* Ces questions requièrent un interrogatif (where, when, what, who, which, how). On les appelle parfois pour cette raison : « WH - questions ».

(1) Même dans le cas de questions ouvertes, il est parfois possible de donner une réponse courte (**réponses courtes** entre [...] dans les exemples).

(2) Traductions possibles : «Tiens ?, Vraiment ?, Vous croyez ?, Ah oui ?»,etc.
Intonation ascendante : surprise.
Intonation descendante : doute.
L'auxiliaire du *tag* est accentué.

(3) Pas d'inversion du sujet. Ne pas confondre avec le *tag* suivant.
Traductions possibles : «Eh oui ! C'est bien vrai.»
L'auxiliaire est accentué. Pas de forme négative.

(4) Le sujet est accentué. Traductions : sujet + « si », sujet + « non ».

(5) *Never* est une négation. Employer l'auxiliaire dans les *tags* négatifs.

(6) Voir « Auxiliaires modaux », p. 38.

(7) Pas d'auxiliaire avec un pronom interrogatif sujet.

Index

Index général

Explication des symboles

VERBES COMPOSÉS

◇ = Verbes pouvant s'associer avec de 1 à 10 particules
♦ = Verbes pouvant s'associer avec de 11 à 30 particules
♦ = Verbes pouvant s'associer avec plus de 30 particules

COMPLÉMENTS DU VERBE

A = Auxiliaire
T = Verbe transitif
I = Verbe intransitif
O = Verbe à complémentation (voir index p. 181)

MODIFICATIONS ORTHOGRAPHIQUES

▷ = Redoublement de la consonne finale
ie = *y* final remplacé par *ie* à la 3e pers. du sing. et au passé
es = *e* ajouté à la 3e pers. du sing.
yi = *ie* devient *y* devant ing (*to die* → *dying*)

VERBES IRRÉGULIERS

Ils sont **en gras** ainsi que dans toutes les autres listes. Le numéro renvoie au tableau de classification (voir pp. 93 et 186)

a

abandon	◊	T	○	
abase		T		
abash	◊	T		es
abate		TI		
abbreviate	◊	T		
abdicate		TI		
abduct		T		
abet	◊	T		▷
abhor		T	○	▷
abide	◊	TI		3
abjure		T		
abnegate		T		
abolish		T		es
abominate		T	○	
abort		TI		
abound	◊	I		
abrade		T		
abridge		T		
abrogate		T		
abseil		I		
absent	◊	T		
absolve	◊	T		
absorb	◊	T	○	
abstain	◊	I	○	
abstract	◊	T		
abuse		T		
abut	◊	I		▷
accede	◊	I		
accelerate		TI		
accent		T		
accentuate		T		
accept	◊	T	○	
access	◊	I		es
acclaim		T		
acclimatize	◊	TI		
accommodate	◊	T		
accompany		T		ie
accomplish		T		es
accord	◊	TI		
accost		T		
account	◊	T	○	
accredit	◊	T		
accrue	◊	I		
accumulate		TI		
accuse	◊	T	○	
accustom	◊	T	○	
ache	◊	I	○	
achieve		T		
acidify		T		ie
acidulate		T		
acknowledge	◊	T	○	
acquaint	◊	T		
acquiesce	◊	I		
acquire		T		
acquit	◊	T		▷
act	◊	TI		
activate		T		
actuate		T		
adapt	◊	TI		
add	◊	TI	○	
addict	◊	T	○	
addle		TI		
address	◊	T		es
adduce		T		
adhere	◊	I		
adjoin		TI		
adjourn	◊	TI		
adjudge		T		
adjudicate	◊	TI		
adjure		T	○	
adjust	◊	TI		
administer	◊	TI		
administrate		T		
admire	◊	T		
admit	◊	T	○	▷
admix		TI		es
admonish		T	○	es
adopt	◊	T		
adore		T	○	
adorn	◊	T		
adulate		T		
adulterate		T		
adumbrate		T		
advance	◊	TI		
advantage		T		
adventure		TI		

Verbe	Particules	Type	Complémentation	
advert	◊	I		
advertise	◊	TI	○	
advise	◊	TI	○	
advocate		T	○	
aerate		T		
affect	◊	T		
affiliate	◊	T		
affirm	◊	T	○	
affix	◊	T		es
afflict	◊	T		
afford		T	○	
afforest		T		
affront		T		
age		TI		
agglomerate		TI		
agglutinate	◊	TI		
aggrandize		T		
aggravate		T		
aggregate		TI		
aggrieve		T		
agitate	◊	TI		
agonize		TI		
agree	◊	TI	○	
aid		T	○	
ail		TI		
aim	◊	TI	○	
air		T		
airmail	◊	T		
alarm	◊	T		
alcoholize		T		
alert	◊	T		
alienate	◊	T		
alight	◊	I		
align	◊	TI		
allay		T		
allege		T	○	
allegorize		TI		
alleviate		T		
alliterate		TI		
allocate	◊	T	○	
allot	◊	T	○	▷
allow	◊	T	○	
alloy		T		
allude	◊	I		
allure	◊	T		
ally	◊	TI		ie
alphabetize		T		
alter		TI		
alternate	◊	TI		
amalgamate	◊	TI		
amaze	◊	T		
amble	♦	I		
ambush		TI		es
ameliorate		TI		
amend		TI		
Americanize		T		
amortize		T		
amount	◊	I	○	
amputate		T		
amuse	◊	T	○	
anaesthetize		T		
analyse		T		
anathematize		T		
anatomize		T		
anchor		TI		
anesthetize		T		
anger		T		
angle	◊	TI		
anglicize		T		
animadvert	◊	T		
animalize		T		
animate		T		
annex	◊	T		es
annihilate		T		
annotate		T		
announce	◊	T	○	
annoy	◊	T		
annul		T		▷
annunciate		T	○	
anoint	◊	T		
answer	◊	TI	○	
antagonize		T		
antedate		T		
anticipate		T	○	
apologize	◊	I	○	
appatatize	◊	TI		▷
apparel		T		
appeal	◊	I	○	

Verbes pouvant s'associer avec des particules ◊ de 1 à 10, ♦ de 11 à 30, ⧫ plus de 30
A = Auxiliaire
T = Verbe transitif   I = Verbe intransitif
O = Verbe à complémentation

▷ = Redoublement de la consonne finale
ie = *y* final remplacé par *ie* à la 3ᵉ pers. du sing. et au passé
es = *e* ajouté à la 3ᵉ pers. du sing.
yi = *ie* devient *y* devant ing (*to die* → *dying*)

avenge ◊ T
average ◊ TI
avert ◊ T
avoid T ○
await T
awake ◊ TI 3
awaken ◊ TI
award ◊ T
awe ◊ T
axe T

b

baa I
babble ◊ TI
baby T ie
back ◊ TI
backfire I
back-order T
backslide I 3
backspace I
backtab I ▷
backtrack I
badger ◊ T ○
baffle T
bag ◊ TI ▷
bail ◊ T
bait ◊ T ○
bake TI
balance ◊ TI
bale ◊ T
balk ◊ TI ○
ball ◊ TI
ballast T
balloon I
ballot ◊ I ○
bamboozle ◊ T ○
ban T ▷
band ◊ TI
bandage ◊ T
bandy ◊ T ie
bang ◊ TI
banish ◊ T es
bank ◊ TI
bankrupt T
banquet TI
bant I
banter TI
baptize T
bar ◊ T ○ ▷
barb T
barbarize TI
barbecue T
bard T
bare ◊ T
bargain ◊ I
barge ◊ TI
bark ◊ TI ○
barrel TI
barter ◊ TI
base ◊ T ○
bash ◊ T es
bask ◊ I
bastardize T
baste T
bat ◊ TI ▷
batch I es
bath TI
bathe ◊ TI
batten ◊ TI
batter ◊ TI
battle ◊ I
bawl ◊ TI
bay ◊ I
bayonet T
be ♦ IA 7
beach TI es
beacon T
bead TI
beagle I
beam ◊ TI
bear TI ○ 6
beard T
beat TI ○ 1
beatify T ie
beautify T ie
beckon ◊ TI

Verbes pouvant s'associer avec des particules ◊ de 1 à 10, ♦ de 11 à 30, ♦ plus de 30
A = Auxiliaire
T = Verbe transitif I = Verbe intransitif
O = Verbe à complémentation

become	◇	TI			7
bed	◇	TI		▷	
bedaub	◇	T			
bedeck	◇	T			
bedevil		T		▷	
bedew	◇	T			
bedizen		T			
beef	◇	TI			
beetle	◇	I			
befall		TI			7
befit		T		▷	
befoul	◇	T			
befriend		T			
befuddle	◇	T			
beg	◇	TI	○	▷	
beget		T		▷	6
begin	◇	TI	○	▷	8
begrime	◇	T			
begrudge		T			
beguile	◇	T	○		
behave	◇	I			
behead		T			
behold		T			4
behove		T	○		
belay		TI			
belch	◇	TI			
belie		T		yi	
believe	◇	TI	○		
belittle		T			
bell		T			
bellow	◇	TI			
belly	◇	TI		ie	
belong	◇	I			
belt	◇	TI			
bemoan		T			
bemuse		T			
bench		T		es	
benchmark		T			
bend	◇	TI			2
benefit	◇	TI	○		
benumb	◇	T			
bequeath	◇	T			
berate		T			
bereave	◇	T			5
berry		I		ie	
berth		TI			
beseech		T		es	5
beseem		TI	○		
beset	◇	T		▷	1
besiege	◇	T			
beslobber		T			
besmear	◇	T			
besmirch		T		es	
besot	◇	T		▷	
bespangle		T			
bespatter	◇	T			
bespeak		T			6
besprinkle	◇	T			
best	◇	T			
bestir		T		▷	
bestow	◇	T			
bestraddle		T			
bestrew	◇	T			9
bestride		T			8
bet	◇	TI	○	▷	1
betake		T			7
bethink	◇	T	○		5
betide*		TI			
betray	◇	T	○		
betroth	◇	T			
better		TI			
bevel		TI		▷	
bewail		T	○		
beware	◇	TI			
bewilder		T			
bewitch		T		es	
bias	◇	T		es	
bicker	◇	I			
bicycle	♦	I			
bid	◇	TI	○	▷	7
bide		TI			
biff		T			

* *Betide* : n'existe qu'à l'impératif, 3e personne du singulier : « *woe betide those who... :* malheur à ceux qui... »

▷ = Redoublement de la consonne finale
ie = *y* final remplacé par *ie* à la 3e pers. du sing. et au passé
es = *e* ajouté à la 3e pers. du sing.
yi = *ie* devient *y* devant ing (*to die* → *dying*)

Verbe	Particules	T/I	O	Forme	
bifurcate		TI			
bike	♦	I			
bilk	◊	T	○	▷	
bill		T	○		
billet	◊	T			
billow	◊	I			
bind	◊	TI	○		4
birch		T		es	
bisect		TI			
bitch	◊	I		es	
bite	◊	TI			6
blab	◊	TI	○	▷	
black	◊	TI			
blacken	◊	TI			
blackmail	◊	T	○		
blame	◊	T			
blanch		TI		es	
blank	◊	T			
blanket	◊	T			
blare	◊	TI	○		
blaspheme	◊	TI			
blast	◊	T	○		
blather		TI			
blaze	◊	TI			
blazon	◊	T			
bleach	◊	TI		es	
blear		T			
bleat	◊	TI	○		
bleed	◊	TI			4
bleep		TI			
blemish		T		es	
blench		T		es	
blend	◊	TI			
bless	◊	T		es	
blether		TI			
blight		T			
blind	◊	T	○		
blink	◊	TI			
blister		TI	○		
blitz		T		es	
bloat		TI			
block	◊	TI			
blockade		T	○		
blood		T			
bloom	◊	I			
blossom	◊	I			
blot	◊	TI		▷	
blotch		TI		es	
blow	♦	TI			7
blubber	◊	TI	○		
bludgeon		T			
blue		T	○		
bluff	◊	TI	○		
blunder	◊	TI			
blunt		T			
blur	◊	T		▷	
blurt	◊	T	○		
blush	◊	I	○	es	
bluster	◊	I			
board	◊	TI	○		
boast	◊	TI	○		
boat		TI			
bob	◊	TI		▷	
bode		TI			
bog	◊	TI		▷	
boggle	◊	I			
boil	◊	TI			
bolster	◊	T			
bolt	◊	TI			
bomb	◊	TI			
bombard	◊	T			
bond		T			
bone		T			
boo		TI			
boob		I			
book	◊	TI			
boom		TI			
boomerang		I			
boost	◊	T			
boot	◊	T			
bootleg		TI		▷	
bootstrap		T		▷	
booze		I			
border	◊	TI			
bore	◊	TI			
borrow	◊	T			
boss	◊	T		es	
botanize		I			

Verbes pouvant s'associer avec des particules ◊ de 1 à 10, ♦ de 11 à 30, ♦ plus de 30
A = Auxiliaire
T = Verbe transitif I = Verbe intransitif
O = Verbe à complémentation

▷ = Redoublement de la consonne finale
ie = *y* final remplacé par *ie* à la 3e pers. du sing. et au passé
es = *e* ajouté à la 3e pers. du sing.
yi = *ie* devient *y* devant ing (*to die* → *dying*)

burglarize		T			
burgle		TI			
burke		T			
burn	◇	TI	○		2
burnish		TI		es	
burr		TI			
burrow	◇	TI			
burst	◇	TI	○		1
bury	◇	T		ie	
bus		TI		▷ es	
bust	◇	TI	○		1
bustle	◇	TI			
busy	◇	TI	○	ie	
butcher		T			
butt	◇	TI			
butter	◇	T			
button	◇	T			
buttonhole		T			
buttress	◇	T		es	
buy	◇	TI			5
buzz	◇	TI		es	
by-pass		T		es	

C

cable	◇	T	○		
cache		T			
cackle		I			
cadge	◇	TI			
cage	◇	T			
cajole	◇	T	○		
cake	◇	TI			
calcify		TI		ie	
calcine		TI			
calculate	◇	TI	○		
calibrate		T			
calk		T			
call	♦	TI			
calm	◇	TI			
calve		I			
camber		TI			
camp	◇	TI			
campaign	◇	I			
can*		T		▷	
can		A			
cancel	◇	T		▷	
cane		T			
canker		T			
cannibalize		T			
cannon	◇	I			
canonize		T			
canoodle		TI			
canopy		T		ie	
cant		TI			
canter		TI			
canvass	◇	TI		es	
cap	◇	T		▷	
capacitate		T			
caper		I			
capitalize	◇	TI			
capitulate		I			
capsize		TI			
captain		T			
captivate		T			
capture	◇	T			
caramelize		TI			
carbolize		T			
carbonize		T			
carburize		T			
card		T			
care	◇	I	○		
careen		TI			
career	♦	I			
caretake		T			7
carol		TI		▷	
carom		I			
carouse		I			
carp	◇	I			
carpenter		I			
carpet	◇	T			
carry	♦	TI		ie	

* *Can* : ne pas confondre l'auxiliaire *Can* avec le verbe ordinaire *To can* « mettre en conserve ».

Verbes pouvant s'associer avec des particules ◇ de 1 à 10, ♦ de 11 à 30, ♦ plus de 30
A = Auxiliaire
T = Verbe transitif I = Verbe intransitif
O = Verbe à complémentation

▷ = Redoublement de la consonne finale
ie = *y* final remplacé par *ie* à la 3ᵉ pers. du sing. et au passé
es = *e* ajouté à la 3ᵉ pers. du sing.
yi = *ie* devient *y* devant ing (*to die* → *dying*)

chop	◊	TI	▷
chortle		I	
chorus		TI	es
christen	◊	T	
Christianize		T	
chronicle		T	
chuck	◊	T	
chuckle	◊	I	
chug	♦	I	▷
chum		I	▷
churn	◊	TI	
cicatrize		TI	
cipher		TI	
circle	◊	TI	
circularize		T	
circulate		TI	
circumcise		T	
circumnavigate		T	
circumscribe	◊	T	
circumvent		T	
cite	◊	T	
civilize		T	
claim	◊	T	○
clamber	◊	I	
clamour	◊	I	
clamp	◊	TI	
clank		TI	
clap	◊	TI	▷
clash	◊	TI	es
clasp	◊	T	
class	◊	T	es
classify		T	ie
clatter	◊	TI	
claw	◊	TI	
clean	◊	TI	
cleanse		T	
clear	◊	TI	
cleave	◊	TI	5
clench		T	es
clerk		I	
click	◊	TI	
climb	◊	TI	
clinch		TI	es
cling	◊	I	3

clink		TI	
clip	◊	T	▷
cloak		T	
clock	◊	T	
clog	◊	TI	▷
cloister		T	
close	♦	TI	
closet	◊	T	
clot		TI	▷
clothe	◊	T	4
cloud	◊	TI	
clout		T	
clown	◊	I	
cloy		TI	
club	◊	TI	▷
clue	◊	T	
clump		TI	
cluster	◊	TI	
clutch	◊	TI	es
clutter	◊	TI	
coach	◊	TI	es
coagulate		TI	
coal		TI	
coalesce		I	
coast	◊	TI	
coat	◊	T	
coax	◊	T	○ ... es
cobble		T	
cock	◊	T	
cockle		TI	
cocoon		TI	
coddle		T	
code		T	
codify		T	ie
coerce	◊	T	○
coexist	◊	I	
cogitate	◊	TI	○
cohabit	◊	I	
cohere		I	
coil	◊	TI	
coin	◊	T	
coincide	◊	I	
collaborate	◊	I	
collapse		TI	

Verbes pouvant s'associer avec des particules ◊ de 1 à 10, ♦ de 11 à 30, ♦ plus de 30
A = Auxiliaire
T = Verbe transitif I = Verbe intransitif
O = Verbe à complémentation

▷ = Redoublement de la consonne finale
ie = *y* final remplacé par *ie* à la 3e pers. du sing. et au passé
es = *e* ajouté à la 3e pers. du sing.
yi = *ie* devient *y* devant ing (*to die* → *dying*)

confiscate .... ◊ ... T
conflict .... ◊ I
conform .... ◊ ... TI
confound .... ◊ ... T
confront .... ◊ ... T
confuse .... ◊ ... T .... ○
confute .... T
congeal .... TI
congest .... TI
conglomerate .... TI
congratulate...... ◊ ... T .... ○
congregate .... TI
conjecture .... TI ... ○
conjoin .... TI
conjugate .... TI
conjure .... ◊ ... TI ... ○
conk .... ◊ ... TI
connect .... ◊ ... TI
connive .... ◊ I
connote .... T
conquer .... T
conscript .... ◊ ... T
consecrate .... ◊ ... T .... ○
consent .... ◊ .... I ... ○
conserve .... T
consider .... ◊ ... T .... ○
consign .... ◊ ... T
consist .... ◊ .... I ... ○
console .... ◊ ... T
consolidate .... TI
consort .... ◊ I
conspire .... ◊ ... TI ... ○
constipate .... T
constitute .... T
constrain .... ◊ ... T .... ○
constrict .... T
construct .... ◊ ... T
construe .... ◊ ... TI
consult .... ◊ ... TI
consume .... ◊ ... T .... ○
consummate .... T
contact .... T
contain .... ◊ ... T
containerize .... T
contemplate .... T .... ○
contend .... ◊ ... TI ... ○
content .... ◊ ... T .... ○
contest .... ◊ ... TI
continue .... ◊ ... TI ... ○
contort .... T
contour .... T
contract .... ◊ ... TI ... ○
contradict .... T
contrast .... ◊ ... TI
contravene .... T
contribute .... ◊ ... TI ... ○
contrive .... T .... ○
control .... T .... ▷
controvert .... T
convalesce .... ◊ I
convene .... TI
conventionalize .... T
converge .... ◊ ... TI
converse .... ◊ I
convert .... ◊ ... T
convey .... ◊ ... T .... ○
convict .... ◊ ... T .... ○
convince .... ◊ ... T .... ○
convoke .... T
convoy .... T
convulse .... ◊ ... T
coo .... TI
cook .... ◊ ... TI
cool .... ◊ ... TI
coop .... ◊ ... T
cooperate .... ◊ I
co-opt .... ◊ ... T
cop .... ◊ ... T .... ▷
cope .... ◊ .... I ... ○
copper .... T
copulate .... ◊ I
copy .... ◊ ... T ....ie
copyright .... T
cord .... T
cordon .... ◊ ... T
core .... T
cork .... ◊ ... T
corner .... TI

Verbes pouvant s'associer avec des particules ◊ de 1 à 10, ♦ de 11 à 30, ♦ plus de 30
A = Auxiliaire
T = Verbe transitif I = Verbe intransitif
O = Verbe à complémentation

▷ = Redoublement de la consonne finale
ie = *y* final remplacé par *ie* à la 3e pers. du sing. et au passé
es = *e* ajouté à la 3e pers. du sing.
yi = *ie* devient *y* devant ing (*to die* → *dying*)

Verbe	Particules	Type	Forme	
crosscut		T	▷	1
cross-examine		T		
crosshatch		T	es	
cross-perforate		T		
cross-question		T		
cross-reference		TI		
cross-rule		T		
cross-talk		I		
cross-thread		T		
crouch	◊	I	es	
crow	◊	I		
crowd	◊	TI		
crown	◊	T		
crucify		T	ie	
cruise		I		
crumble	◊	TI		
crumple	◊	TI		
crunch	◊	TI	es	
crusade	◊	I		
crush	◊	TI	es	
crust	◊	TI		
cry	♦	TI	ie	
crystallize		TI		
cube		T		
cuddle	◊	TI		
cudgel		T	▷	
cue	◊	T		
cuff		T		
cull	◊	T		
culminate	◊	I	○	
cultivate		T		
cup	◊	T	▷	
curb	◊	T		
curdle		TI		
cure	◊	T		
curl	◊	TI		
curry		T	ie	
curse	◊	TI		
curtail	◊	T		
curtain	◊	T		
curve		TI		
cushion		T		
customize		T		
cut	◊	TI	▷	1
cycle		I		

d

Verbe	Particules	Type	Forme	
dab	◊	T	▷	
dabble	◊	TI		
dally	◊	I	ie	
dam	◊	T	▷	
damage		T		
damn		T		
damp	◊	T		
dampen	◊	TI		
dance	♦	TI		
dandle		T		
dangle	◊	TI		
dapple		TI		
dare*		TA	○	
darken		TI		
darn		T		
dart	♦	TI		
dash	◊	TI	es	
date	◊	TI		
daub	◊	T		
daunt		T		
dawdle	◊	TI		
dawn	◊	I	○	
daze		T		
dazzle		T		
deaden	◊	T		
deafen		T		
deal	◊	TI		5
de-allocate		T		
de-archive		T		
de-assign		T		
debar	◊	T	○ ... ▷	
debark		TI		
debase		T		

* *Dare :* se comporte ou bien comme auxiliaire, ou bien comme verbe à part entière.

Verbes pouvant s'associer avec des particules ◊ de 1 à 10, ♦ de 11 à 30, ♦ plus de 30
A = Auxiliaire
T = Verbe transitif I = Verbe intransitif
O = Verbe à complémentation

▷ = Redoublement de la consonne finale
ie = *y* final remplacé par *ie* à la 3e pers. du sing. et au passé
es = *e* ajouté à la 3e pers. du sing.
yi = *ie* devient *y* devant ing (*to die* → *dying*)

de-ice .... T
deify .... T .... ie
deign .... T .... ○
deinstall .... T
deject .... T
delay .... ◇ ... TI ... ○
delegate .... ◇ ... T
delete .... ◇ ... T
deliberate .... ◇ ... TI ... ○
delight .... ◇ ... TI ... ○
delimit .... T
delineate .... T
deliver .... ◇ ... T
delouse .... T
delude .... ◇ ... T .... ○
deluge .... ◇ ... T
delve .... ◇ I
demagnetize .... T
demand .... ◇ ... T .... ○
demarcate .... T
demean .... TI
demilitarize .... T
demise .... ◇ ... T
demist .... T
demobilize .... T
democratize .... TI
demolish .... T .... es
demonetize .... T
demonstrate .... ◇ ... TI ... ○
demoralize .... T
demote .... ◇ ... T
demount .... T
demultiplex .... T .... es
demur .... ◇ .... I .... ▷
denationalize .... T
denature .... T
denazify .... T .... ie
denicotinize .... T
denigrate .... T
denominate .... T
denormalize .... T
denote .... T
denounce .... ◇ ... T
dent .... T
denude .... ◇ ... T
deny .... ◇ ... T .... ○ ... ie
deodorize .... T
deoxidize .... T
deoxygenate .... T
depart .... ◇ ... TI
depend .... ◇ .... I ... ○
depersonalize .... T
depict .... T
depilate .... T
deplenish .... T .... es
deplete .... ◇ ... T
deplore .... T .... ○
deploy .... TI
depolarize .... T
depopulate .... T
deport .... T
depose .... ◇ ... TI .... ○
deposit .... ◇ ... T
deprave .... T
deprecate .... T
depreciate .... TI
depress .... T .... es
deprive .... ◇ ... T
depute .... ◇ ... T .... ○
deputize .... ◇ ... TI
derail .... T
derange .... T
derate .... T
derestrict .... T
deride .... T
derive .... ◇ ... TI
derogate .... ◇ I
desalinate .... T
descale .... T
descant .... ◇ I
descend .... ◇ ... TI ... ○
describe .... ◇ ... T
descry .... T .... ie
desecrate .... T
desegregate .... T
desensitize .... T
desert .... TI
deserve .... TI .... ○

Verbes pouvant s'associer avec des particules ◇ de 1 à 10, ♦ de 11 à 30, ♦ plus de 30
A = Auxiliaire
T = Verbe transitif I = Verbe intransitif
O = Verbe à complémentation

▷ = Redoublement de la consonne finale
ie = *y* final remplacé par *ie* à la 3e pers. du sing. et au passé
es = *e* ajouté à la 3e pers. du sing.
yi = *ie* devient *y* devant ing (*to die* → *dying*)

Verbe	Particules	Type	Complémentation	Terminaison
disavow		T		
disband		TI		
disbar	◊	T		▷
disbelieve	◊	TI		
disbud		T		▷
disburden	◊	T		
disburse		T		
discard		TI		
discern	◊	T		
discharge	◊	TI		
discipline		T		
disclaim		T		
disclose		T		
discolour		TI		
discomfit		T		
discommode		T		
discompose		T		
disconcert		T		
disconnect	◊	T		
discontinue		TI		
discord	◊	I		
discount		T		
discourage	◊	T	○	
discourse	◊	I		
discover		T	○	
discredit		T		
discriminate	◊	TI		
discuss	◊	T		es
disdain		T	○	
disembark	◊	TI		
disembarrass	◊	T		es
disembowel		T		
disenable		T		
disenchant		T		
disencumber	◊	T		
disenfranchise		T		
disengage	◊	TI		
disentail		T		
disentangle	◊	TI		
disestablish		T		es
disfigure		T		
disfranchise		T		
disgorge		TI		
disgrace		T		
disguise	◊	T		
disgust	◊	T	○	
dish	◊	T		es
dishonour		T		
disillusion		T		
disincline		TI		
disinfect		T		
disinherit		T		
disinstall		T		
disintegrate		TI		
disinter		T		▷
disjoint		TI		
dislike		T	○	
dislocate		T		
dislodge	◊	T		
dismantle	◊	T		
dismast		T		
dismay	◊	T	○	
dismember		T		
dismiss	◊	T	○	es
dismount	◊	TI		
disobey		T		
disorder		T		
disorganize		T		
disorientate		T		
disown		T		
disparage		T		
dispatch	◊	T		es
dispel		T		▷
dispense	◊	TI	○	
disperse		TI		
dispirit		T		
displace		T		
display		T		
displease	◊	T		
disport		T		
dispose	◊	TI		
dispossess	◊	T		es
disprove		T		
dispute	◊	TI	○	
disqualify	◊	T	○	ie
disquiet		T		
disquieten		T		
disregard		T		

Verbes pouvant s'associer avec des particules ◊ de 1 à 10, ♦ de 11 à 30, ♦ plus de 30
A = Auxiliaire
T = Verbe transitif I = Verbe intransitif
O = Verbe à complémentation

▷ = Redoublement de la consonne finale
ie = *y* final remplacé par *ie* à la 3e pers. du sing. et au passé
es = *e* ajouté à la 3e pers. du sing.
yi = *ie* devient *y* devant ing (*to die* → *dying*)

Verbe	Particules	Type	Remarques
dress	◊	TI	es
dribble		TI	
drift	◊	I	
drill	◊	TI	○
drink	◊	TI	8
drip		TI	▷
drive	♦	TI	8
drivel	◊	I	▷
drizzle	◊	I	
drone	◊	TI	
drool	◊	I	
droop	◊	TI	
drop	♦	TI	▷
drown	◊	TI	
drowse	◊	TI	
drub		T	▷
drudge		I	
drug		T	▷
drum	◊	TI	▷
dry	◊	TI	ie
dub	◊	T	▷
duck	◊	TI	
duel		I	▷
duff		T	
dull	◊	TI	
dumbfound		T	
dummy		TI	ie
dump	◊	T	
dun	◊	T	▷
dung		TI	
dunk	◊	T	
dupe		T	
duplicate		T	
dust	◊	T	
dwarf		T	
dwell	◊	I	2
dwindle	◊	I	
dye		TI	
dyke		T	
dynamite		T	

e

Verbe	Particules	Type	Remarques
earmark	◊	T	
earn		T	
earth	◊	TI	
ease	◊	TI	
eat	◊	TI	7
eavesdrop	◊	I	▷
ebb	◊	I	
echo	◊	TI	es
eclipse		T	
economize	◊	TI	
eddy		I	ie
edge	◊	TI	
edify		T	ie
edit	◊	T	
educate	◊	T	
educe	◊	T	
efface		T	
effect		T	
effervesce		I	
egg	◊	T	○
ejaculate		T	
eject	◊	T	
eke	◊	T	
elaborate	◊	TI	
elapse		I	
elate	◊	T	
elbow	◊	TI	
elect	◊	T	
electrify		T	ie
electrocute		T	
electrolyse		T	
electroplate		T	
electrotype		T	
elevate	◊	T	
elicit		T	
elide		T	
eliminate	◊	T	
elongate		TI	
elope	◊	I	
elucidate		T	
elude		T	
emaciate		T	
emanate	◊	I	
emancipate	◊	T	
emasculate		T	

Verbes pouvant s'associer avec des particules ◊ de 1 à 10, ♦ de 11 à 30, ♦ plus de 30
A = Auxiliaire
T = Verbe transitif I = Verbe intransitif
O = Verbe à complémentation

embalm		T	
embank		T	
embargo		T	es
embark	◊	TI	
embarrass		T	es
embattle		T	
embed	◊	T	▷
embellish	◊	T	es
embezzle		T	
embitter		T	
emblazon	◊	T	
embody	◊	T	ie
embolden		T	○
embosom	◊	T	
emboss		T	es
embower		TI	
embrace	◊	TI	
embroider		T	
embroil	◊	T	
embus		TI	▷
emcee		T	
emend		T	
emerge	◊	I	
emigrate	◊	I	
emit	◊	T	▷
emote		I	
empanel		T	▷
emphasize		T	
employ	◊	T	○
empower		T	○
empty	◊	TI	ie
emulate		T	
emulsify		T	ie
enable		T	○
enact		T	
enamel		T	▷
enamour	◊	T	
encage		T	
encamp		TI	
encapsulate		T	
encase	◊	T	
encash		T	es
enchain		T	
enchant	◊	T	
encipher		T	
encircle		T	
enclave		T	
enclose	◊	T	
encode		T	
encompass	◊	T	es
encore		T	
encounter		T	
encourage	◊	T	○
encroach	◊	I	es
encrust	◊	T	
encumber	◊	T	
end	◊	TI	○
endanger		T	
endear	◊	T	
endeavour		I	○
endorse	◊	T	
endow	◊	T	
endue	◊	T	
endure		TI	○
energize		T	
enervate		T	
enfeeble		T	
enfilade		T	
enfold	◊	T	
enforce	◊	T	
enfranchise		T	
engage	◊	TI	○
engender		T	
engineer		T	
engorge	◊	TI	
engraft	◊	T	
engrave	◊	T	
engross	◊	T	es
engulf	◊	T	
enhance		T	
enjoin	◊	T	
enjoy		T	○
enlarge	◊	TI	
enlighten	◊	T	
enlist	◊	TI	
enliven		T	
enmesh	◊	T	es
ennoble		T	

▷ = Redoublement de la consonne finale
ie = *y* final remplacé par *ie* à la 3e pers. du sing. et au passé
es = *e* ajouté à la 3e pers. du sing.
yi = *ie* devient *y* devant ing (*to die* → *dying*)

enquire ◊ ... TI
enrage ... T
enrapture ... T
enrich ◊ ... T ... es
enrol ◊ ... TI ... ▷
ensconce ◊ ... T
enshrine ◊ ... T
enshroud ... T
enslave ... T
ensnare ◊ ... T ... ○
ensue ◊ ... I
ensure ◊ ... T
entail ◊ ... T
entangle ◊ ... T
enter ◊ ... TI
entertain ◊ ... T
enthral(l) ◊ ... T ... ○
enthrone ◊ ... T
enthuse ◊ ... I
entice ◊ ... T ... ○
entitle ◊ ... T ... ○
entomb ◊ ... T
entrain ... TI
entrance ... T
entrap ◊ ... T ... ○ ... ▷
entreat ◊ ... T ... ○
entrench ... T ... es
entrust ◊ ... T
entwine ◊ ... TI
enucleate ... T
enumerate ... T
enunciate ... T
envelop ◊ ... T
envenom ... T
envisage ... T
envy ... T ... ie
epitomize ... T
equal ◊ ... T ... ▷
equalize ... T
equate ◊ ... T
equilibrate ... TI
equip ◊ ... T ... ▷
equivocate ... I
eradicate ... T
erase ◊ ... T
erect ... T
erode ... T
err ◊ ... I
error ... I
eructate ... I
erupt ◊ ... I
escalate ... T
escape ◊ ... TI ... ○
eschew ... T
escort ◊ ... T
espouse ... T
espy ... T ... ie
essay ... T ... ○
establish ◊ ... T ... es
esteem ... T
estimate ◊ ... T
estrange ◊ ... T
etch ◊ ... TI ... es
eternize ... T
etherize ... T
eulogize ... T
evacuate ◊ ... T
evade ... T
evaluate ◊ ... T
evangelize ... T
evaporate ◊ ... TI
even ◊ ... T
evict ◊ ... T
evince ... T
eviscerate ... T
evoke ... T
evolve ◊ ... TI
exacerbate ... T
exact ◊ ... T
exaggerate ... TI
exalt ... T
examine ◊ ... T
exasperate ◊ ... T
excavate ... T
exceed ◊ ... TI
excel ◊ ... TI ... ○ ... ▷
except ◊ ... T
excerpt ◊ ... T

Verbes pouvant s'associer avec des particules ◊ de 1 à 10, ♦ de 11 à 30, ♦ plus de 30
A = Auxiliaire
T = Verbe transitif I = Verbe intransitif
O = Verbe à complémentation

exchange	◇	T	
excise		T	
excite	◇	T	
exclaim	◇	TI	○
exclude	◇	T	
excogitate		T	
excommunicate		T	
excoriate		T	
excrete		T	
excruciate		T	
exculpate		T	
excuse	◇	T	○
execrate		T	
execute		T	
exemplify		T	ie
exempt	◇	T	○
exercise	◇	TI	○
exert		T	○
exfoliate		T	
exhale		TI	
exhaust		T	
exhibit		T	
exhilarate		T	
exhort		T	○
exhume		T	
exile	◇	T	
exist	◇	I	
exit*		I	
exonerate	◇	T	
exorcise	◇	T	
expand	◇	TI	
expatiate	◇	I	
expatriate	◇	T	
expect	◇	T	○
expectorate		TI	
expedite		T	
expel	◇	T	▷
expend	◇	T	○
experience		T	
experiment	◇	I	
expiate		T	
expire		TI	
explain	◇	T	○
explode	◇	TI	
exploit		T	
explore		T	
export	◇	T	
expose	◇	T	
expostulate	◇	I	
expound	◇	T	
express	◇	T	es
expropriate	◇	T	
expunge	◇	T	
expurgate	◇	T	
extemporize		TI	
extend	◇	TI	○
extenuate		T	
exteriorize		T	
exterminate		T	
externalize		T	
extinguish	◇	T	es
extirpate		T	
extol		T	▷
extort	◇	T	
extract	◇	T	
extradite	◇	T	
extrapolate		T	
extravasate		I	
extricate	◇	T	
extrude	◇	T	
exude		TI	
exult	◇	I	○
eye	◇	T	

f

fabricate		T	
face	◇	TI	
facet		T	
facilitate		T	
factorize		T	

* *Exit :* ne s'emploie qu'à la troisième personne du singulier du présent, au théâtre : *« Exit Hamlet »* : Hamlet sort.

▷ = Redoublement de la consonne finale
ie = *y* final remplacé par *ie* à la 3e pers. du sing. et au passé
es = *e* ajouté à la 3e pers. du sing.
yi = *ie* devient *y* devant ing (*to die* → *dying*)

fade	◊	TI			
fag	◊	TI		▷	
fail	◊	TI	○		
faint	◊	I			
fake	◊	TI			
fall	♦	I			7
falsify		T		ie	
falter	◊	TI			
familiarize	◊	T	○		
fan	◊	T		▷	
fancy		T	○	ie	
fantasize	◊	I			
fare	◊	I			
farm	◊	TI			
farrow		TI			
fart		I			
fascinate		T			
fashion	◊	T			
fast	◊	I			
fasten	◊	TI			
father	◊	T			
fathom	◊	T	○		
fatigue		T			
fatten	◊	TI			
fault		T			
favour	◊	T			
fawn	◊	TI			
fear	◊	TI	○		
feast		TI			
feather	◊	TI			
feature	◊	T			
federate		TI			
feed	◊	TI			4
feel	◊	TI	○		5
feign		TI			
feint		I			
felicitate		T			
fell		T			
fence	◊	TI			
fend	◊	TI			
ferment		TI			
ferret	◊	TI			
ferry	◊	TI		ie	
fertilize		T			
fester		TI			
festoon	◊	T			
fetch	◊	T		es	
fete		T			
fetter		T			
feud	◊	I			
fib		I		▷	
fiddle	◊	I			
fiddle-faddle		I			
fidget	◊	I			
field		TI			
fight	♦	TI			5
figure	◊	TI			
filch	◊	T		es	
file	◊	T			
filibuster		I			
fill	◊	TI			
fillet		T			
fillip		T			
film	◊	TI			
filter	◊	TI			
finalize		T			
finance		T			
find	◊	T	○		4
fine	◊	T	○		
finesse		TI			
fine-tune		T			
finger		TI			
finish	◊	TI	○	es	
fire	♦	TI			
firm	◊	TI			
fish	◊	TI		es	
fissure		TI			
fit	♦	TI		▷	
fix	◊	TI		es	
fizz	◊	I		es	
fizzle	◊	I			
flabbergast	◊	T			
flag	◊	TI		▷	
flagellate	◊	T	○		
flail		TI			
flake	◊	TI			
flame	◊	I			
flank	◊	T			

Verbes pouvant s'associer avec des particules ◊ de 1 à 10, ♦ de 11 à 30, ♦ plus de 30
A = Auxiliaire
T = Verbe transitif   I = Verbe intransitif
O = Verbe à complémentation

▷ = Redoublement de la consonne finale
ie = *y* final remplacé par *ie* à la 3e pers. du sing. et au passé
es = *e* ajouté à la 3e pers. du sing.
yi = *ie* devient *y* devant ing (*to die* → *dying*)

Verbe	Particules	Type	Terminaison	
fossilize		TI		
foster		T		
foul	◊	TI		
found	◊	T		
founder		I		
fox		TI	es	
fracture		TI		
fragment		TI		
frame	◊	TI		
frank		T		
fraternize		I		
fray		TI		
frazzle		T		
freak	◊	I		
freckle		TI		
free	◊	T		
freeze	◊	TI		6
freight		T		
Frenchify		TI	ie	
frequent		T		
freshen	◊	TI		
fret	◊	TI	▷	
frighten	◊	T	○	
frill		T		
fringe	◊	T		
frisk	◊	TI		
fritter	◊	T		
frivol		TI	▷	
frizz		TI	es	
frizzle	◊	TI		
frolic	◊	I		
front	◊	TI		
frost	◊	T		
froth	◊	I		
frown	◊	TI		
fructify		I	ie	
frustrate		T		
fry	◊	TI	ie	
fuck	◊	TI		
fuddle		T		
fudge	◊	TI		
fuel		TI	▷	
fulfil		T	▷	
fulminate	◊	TI		
fumble	◊	TI		
fume	◊	TI	○	
function		I		
fund		T		
funk	◊	TI	○	
fur	◊	TI	▷	
furbish	◊	T	es	
furl		T		
furnish	◊	T	es	
furrow		T		
further		T		
fuse	◊	TI		
fuss	◊	TI	es	
fustigate		T		
fuzz	◊	TI	es	

g

Verbe	Particules	Type	Terminaison	
gab		I	▷	
gabble	◊	TI		
gad	◊	I	▷	
gaff		TI		
gag		TI	▷	
gage		T		
gaggle		I		
gain	◊	TI		
gainsay		T		2
gall		T		
gallivant	◊	I		
gallop	♦	TI		
galumph	♦	I		
galvanize	◊	T		
gamble	◊	TI		
gambol	♦	I		
game	◊	TI		
gang	◊	I		
gangrene		TI		
gaol		T		
gape	◊	I		
garage		T		
garb	◊	T		
garble		T		
garden		I		

Verbes pouvant s'associer avec des particules ◊ de 1 à 10, ♦ de 11 à 30, ♦ plus de 30
A = Auxiliaire
T = Verbe transitif I = Verbe intransitif
O = Verbe à complémentation

▷ = Redoublement de la consonne finale
ie = *y* final remplacé par *ie* à la 3e pers. du sing. et au passé
es = *e* ajouté à la 3e pers. du sing.
yi = *ie* devient *y* devant ing (*to die* → *dying*)

grasp	◊	TI			
grass	◊	T		es	
grate	◊	TI			
gratify		T		ie	
grave		T			9
gravel		T		▷	
gravitate	◊	I			
graze	◊	TI			
grease		T			
greet	◊	T			
grey		I			
grieve	◊	TI			
grill		T			
grimace		I			
grin	◊	TI		▷	
grind	◊	TI			4
grip		TI		▷	
gripe	◊	TI			
grit		TI		▷	
grizzle		TI			
groan	◊	I			
groom	◊	T			
groove		T			
grope	◊	I			
grouch		I		es	
ground	◊	TI			
group	◊	TI			
grouse	◊	I			
grout	◊	T			
grovel	◊	I		▷	
grow	♦	TI			7
growl	◊	TI			
grub	◊	TI		▷	
grudge		T			
grumble	◊	TI			
grunt		TI			
guarantee	◊	T			
guard	◊	TI			
guess	◊	TI	○	es	
guffaw		TI			
guide		T			
guillotine		T			
gull	◊	T	○		
gully		TI		ie	
gulp	◊	TI			
gum	◊	TI		▷	
gun	◊	TI		▷	
gurgle	◊	TI			
gush	◊	I		es	
gussy	◊	T		ie	
gut		T		▷	
gutter		TI			
guy		T			
guzzle	◊	TI			
gyp		T		▷	
gyrate		I			

h

habituate	◊	T	○		
hack	◊	TI			
hackle		TI			
haft		T			
haggle	◊	I			
hail	◊	TI			
hallo	◊	I		es	
hallucinate		TI			
halo		T		es	
halt		TI			
halve		T			
ham	◊	TI		▷	
hammer	◊	TI			
hand	◊	T			
handicap		T		▷	
handle		TI			
hang	♦	TI			3
hanker	◊	I			
happen	◊	I	○		
harangue		TI			
harass		T		es	
harbour		T			
harden	◊	TI	○		
hare	◊	I			
hark	◊	I			
harm		T			
harmonize	◊	TI			
harness	◊	T		es	

Verbes pouvant s'associer avec des particules ◊ de 1 à 10, ♦ de 11 à 30, ♦ plus de 30
A = Auxiliaire
T = Verbe transitif I = Verbe intransitif
O = Verbe à complémentation

▷ = Redoublement de la consonne finale
ie = *y* final remplacé par *ie* à la 3e pers. du sing. et au passé
es = *e* ajouté à la 3e pers. du sing.
yi = *ie* devient *y* devant ing (*to die* → *dying*)

hull		T	
hum	◊	TI	▷
humanize		T	
humble		T	
humbug	◊	T	○ ▷
humiliate	◊	T	○
humour		T	
hump	◊	T	
hunch	◊	T	es
hunger	◊	I	
hunker	◊	I	
hunt	◊	TI	
hurdle		TI	
hurl	◊	T	
hurrah		TI	
hurry	♦	TI	ie
hurt		TI	1
hurtle	◊	TI	
husband		T	
hush	◊	TI	es
husk		T	
hustle	◊	TI	○
hybridize		T	
hydrate		T	
hydrogenate		T	
hydrogenize		T	
hype	◊	T	
hyphen		T	
hyphenate		T	
hypnotize	◊	T	○
hypothesize		TI	

i

ice	◊	T	
idealize		T	
identify	◊	T	ie
idle	◊	I	
idolize		T	
ignite		TI	
ignore		T	
illuminate	◊	T	
illustrate	◊	T	
imagine		T	○
imbibe		TI	
imbricate		TI	
imbue	◊	T	
imitate		T	
immaterialize		T	
immerse	◊	T	
immigrate	◊	I	
immobilize		T	
immolate		T	
immortalize		T	
immunize	◊	T	
immure		T	
impair		T	
impale	◊	T	
impanel		T	▷
impart	◊	T	
impeach	◊	T	○ es
impede		T	
impel	◊	T	○ ▷
impend	◊	I	
imperil		T	▷
impersonate		T	
impinge	◊	I	
implant	◊	T	
implement		T	
implicate	◊	T	
implode		TI	
implore		T	○
imply		T	○ ie
import	◊	T	○
importune		TI	
impose	◊	TI	
impound		T	
impoverish		T	es
imprecate	◊	TI	○
impregnate	◊	T	
impress	◊	T	○ es
imprint	◊	T	
imprison	◊	T	
improve	◊	TI	
improvise		TI	
impugn		T	
impute	◊	T	

Verbes pouvant s'associer avec des particules ◊ de 1 à 10, ♦ de 11 à 30, ♦ plus de 30
A = Auxiliaire
T = Verbe transitif   I = Verbe intransitif
O = Verbe à complémentation

▷ = Redoublement de la consonne finale
ie = *y* final remplacé par *ie* à la 3e pers. du sing. et au passé
es = *e* ajouté à la 3e pers. du sing.
yi = *ie* devient *y* devant ing (*to die* → *dying*)

intend	◊	T	○
intensify		TI	ie
inter		T	▷
interact	◊	I	
interbreed	◊	TI	4
intercalate		T	
intercede	◊	I	
intercept		T	
interchange	◊	T	
intercommunicate		I	
interconnect		TI	
interdepend		I	
interdict	◊	T	○
interest	◊	T	○
interfere	◊	I	
interfile		T	
interfold		T	
interject		T	
interlace	◊	TI	
interlard	◊	T	
interleave	◊	T	
interline		T	
interlink	◊	TI	
interlock		TI	
interlope		I	
intermarry	◊	I	ie
intermediate	◊	I	
intermingle	◊	TI	
intermit		TI	▷
intermix		T	es
intern	◊	T	
internationalize		T	
interpenetrate		T	
interpolate		T	
interpose	◊	TI	
interpret	◊	TI	
interrelate		T	
interrogate	◊	T	
interrupt		T	
intersect	◊	TI	
intersperse	◊	T	
intertwine		TI	
intervene	◊	I	
interview	◊	T	
interweave	◊	TI	6
intimate	◊	T	○
intimidate	◊	T	○
intone		T	
intoxicate	◊	T	
intrigue	◊	TI	
introduce	◊	T	
intrude	◊	TI	
intrust	◊	T	
inundate	◊	T	
inure	◊	T	
invade		T	
invalid	◊	T	
invalidate		T	
inveigh	◊	I	
inveigle	◊	T	○
invent		T	
invert		T	
invest	◊	TI	
investigate		T	
invigilate		I	
invigorate		T	
invite	◊	T	○
invoice		T	
invoke	◊	T	
involve	◊	T	○
iodize		T	
ionize		TI	
irk		T	○
iron	◊	TI	
irradiate		TI	
irrigate	◊	T	
irritate		T	
isolate	◊	T	
issue	◊	TI	
italicize		T	
itch	◊	I	○ ... es
itemize		T	
itinerate		I	

j

jab	◊	TI	▷
jabber		TI	

Verbes pouvant s'associer avec des particules ◊ de 1 à 10, ♦ de 11 à 30, ◆ plus de 30
A = Auxiliaire
T = Verbe transitif I = Verbe intransitif
O = Verbe à complémentation

k

l

▷ = Redoublement de la consonne finale
ie = *y* final remplacé par *ie* à la 3e pers. du sing. et au passé
es = *e* ajouté à la 3e pers. du sing.
yi = *ie* devient *y* devant ing (*to die* → *dying*)

Verbe	Particules	Type	Complémentation	Forme	Groupe
lace	◊	TI			
lacerate		T			
lack	◊	TI			
lacquer		T			
lactate		I			
ladder		TI			
lade	◊	T			9
ladle	◊	T			
lag	◊	TI		▷	
laicize		T			
lamb		I			
lambast(e)		T			
lame		T			
lament	◊	TI			
laminate		TI			
lampoon		T			
lance		T			
land	◊	TI			
languish	◊	I		es	
lap	◊	TI		▷	
lapidate		T			
lapse	◊	I			
lard	◊	T			
lark	◊	I			
lash	◊	TI		es	
lasso		T		es	
last	◊	TI			
latch	◊	TI		es	
lath		T			
lather	◊	TI			
Latinize		T			
lattice		T			
laud		T			
laugh	◊	TI	○		
launch	◊	TI		es	
launder		TI			
lavish	◊	T		es	
lay	♦	TI	○		2
layer		T			
laze	◊	TI			
leach	◊	TI		es	
lead	♦	TI	○		4
leaf	◊	TI			
league	◊	TI			
leak	◊	TI			
lean	◊	TI			5
leap	◊	TI			5
learn	◊	TI	○		2
lease	◊	T			
leash		T		es	
leather		T			
leave	♦	TI	○		5
leaven	◊	T			
lecture	◊	TI			
leech		TI		es	
leer	◊	I			
left-justify		TI		ie	
legalize		T			
legislate	◊	I			
legitimate		T			
lend	◊	T	○		2
lengthen	◊	TI			
lessen		TI			
let	♦	TA	○	▷	1
letter		T			
level	◊	TI		▷	
lever	◊	T			
levitate		TI			
levy	◊	T		ie	
liaise	◊	I			
libel		T		▷	
liberate	◊	T			
license	◊	T	○		
lick	◊	T			
lie	♦	TI		yi	6
lie	◊	I		yi	
lift	◊	TI			
ligature		T			
light	◊	TI			5
lighten		TI			
like		T	○		
liken	◊	T			
lilt		TI			
limber	◊	TI			
lime		T			
limit	◊	T	○		
limp	◊	I			
line	◊	TI			

Verbes pouvant s'associer avec des particules ◊ de 1 à 10, ♦ de 11 à 30, ♦ plus de 30
A = Auxiliaire
T = Verbe transitif I = Verbe intransitif
O = Verbe à complémentation

▷ = Redoublement de la consonne finale
ie = *y* final remplacé par *ie* à la 3e pers. du sing. et au passé
es = *e* ajouté à la 3e pers. du sing.
yi = *ie* devient *y* devant ing (*to die* → *dying*)

Verbe	Particules	Type	Autres
manifold		T	
manipulate		T	
manoeuvre	◊	TI	
mantle	◊	T	
manufacture		T	
manumit		T	▷
manure		T	
map	◊	T	▷
mar		T	▷
maraud		TI	
marble		T	
march	◊	TI	es
margin		T	
marinate		T	
mark	◊	TI	
market		TI	
maroon		T	
marry	◊	TI	ie
marshal	◊	T	▷
martyr		T	
martyrize		T	
marvel	◊	I	○ ▷
mash	◊	T	es
mask	◊	T	
masquerade	◊	I	
mass		TI	es
massacre		T	
massage		T	
mast		T	
master		T	
masticate		TI	
masturbate		TI	
mat		TI	▷
match	◊	TI	es
mate	◊	TI	
materialize		TI	
matriculate		I	
matter	◊	I	○
mature		TI	
maul	◊	T	
maunder		I	
maximize		T	
may		A	
mean	◊	T	○ 5
meander		I	
measure	◊	T	
mechanize		T	
meddle	◊	I	
mediate	◊	TI	
medicate		T	
meditate	◊	TI	○
meet	◊	TI	5
mellow		TI	
melt	◊	TI	
memorialize		T	
memorize		T	
menace		T	
mend		TI	
menstruate		I	
mention	◊	T	○
meow		I	
mercerize		T	
merchandise		TI	
merge	◊	TI	
merit		T	
mesh	◊	TI	es
mesmerize	◊	T	○
mess	◊	TI	es
metabolize		T	
metal		T	▷
metallize		T	
metamorphose	◊	TI	
mete	◊	T	
mew		I	
miaow		I	
microfilm		T	
micturate		TI	
might		A	
migrate	◊	I	
mike		I	
mildew		TI	
militarize		T	
militate	◊	I	
milk		TI	
mill	◊	TI	
mime		TI	
mimic		T	
mince	◊	TI	

Verbes pouvant s'associer avec des particules ◊ de 1 à 10, ♦ de 11 à 30, ♦ plus de 30
A = Auxiliaire
T = Verbe transitif I = Verbe intransitif
O = Verbe à complémentation

▷ = Redoublement de la consonne finale
ie = *y* final remplacé par *ie* à la 3e pers. du sing. et au passé
es = *e* ajouté à la 3e pers. du sing.
yi = *ie* devient *y* devant ing (*to die* → *dying*)

moon	◊	TI	
moor		TI	
moot		T	
mop	◊	T	▷
mope	◊	I	
moralize	◊	TI	
mortar		T	
mortgage		T	
mortify		T	ie
mother		T	
motion	◊	TI	○
motivate		T	
motor		TI	
motorize		T	
mottle		T	
mould	◊	TI	
moulder		I	
moult		TI	
mount	◊	TI	
mountaineer		I	
mourn	◊	TI	
mouse		TI	
mouth		TI	
move	♦	TI	
mow	◊	T	9
muck	◊	TI	
muddle	◊	T	
muddy	◊	T	ie
muff		TI	
muffle	◊	T	
mug	◊	T	▷
mulch		T	es
mulct	◊	T	
mull	◊	T	
multiplex		T	es
multiply	◊	TI	ie
mumble		TI	
mummify		T	ie
munch		TI	es
munition		T	
murder		T	
murmur	◊	TI	
muscle	◊	I	
muse	◊	TI	
mushroom		I	
muss	◊	T	es
must		A	
muster	◊	TI	
mutate		TI	
mute		T	
mutilate		T	
mutiny	◊	I	ie
mutter		TI	
muzzle		T	
mystify		T	ie

n

nab		T	▷
nag	◊	TI	▷
nail	◊	T	
name	◊	T	
nap		I	▷
narcotize		T	
narrate		T	
narrow	◊	TI	
nasalize		T	
nationalize		T	
natter		I	
naturalize		TI	
nauseate		TI	
navigate	♦	TI	
nazify		T	ie
neap		TI	
near		T	
neaten		T	
necessitate		T	
neck		TI	
need		TA	○
needle		T	
negate		T	
negative		T	
neglect		T	○
negotiate	◊	TI	
neigh		I	
neighbour	◊	I	
nerve	◊	T	○

Verbes pouvant s'associer avec des particules ◊ de 1 à 10, ♦ de 11 à 30, ♦ plus de 30
A = Auxiliaire
T = Verbe transitif I = Verbe intransitif
O = Verbe à complémentation

O

▷ = Redoublement de la consonne finale
ie = *y* final remplacé par *ie* à la 3e pers. du sing. et au passé
es = *e* ajouté à la 3e pers. du sing.
yi = *ie* devient *y* devant ing (*to die* → *dying*)

Verbe	Particules	Type	Orthographe	Irrégulier
ossify		TI	ie	
ostracize		T		
oust	◊	T		
outbid		T	▷	1
outcrop		I	▷	
outdo		T	es	8
outface		T		
outfit		T	▷	
outflank		T		
outgrow		T		7
outlast		T		
outlaw		T		
outline		T		
outmanoeuvre		T		
outnumber		T		
outpace		T		
outperform		T		
outplay		T		
outrage		T		
outrank		T		
outride		T		8
outrun		T	▷	7
outsmart		T		
outspend		T		2
outstare		T		
outstay		T		
outstrip		T	▷	
outvie		T	yi	
outvote		T		
outwear		T		6
outweigh		T		
outwit		T	▷	
overact		TI		
overawe		T		
overbalance		TI		
overbear		T		6
overbid		TI	▷	7
overbuild		T		2
overburden	◊	T		
overcall		T		
overcast		T		1
overcharge		TI		
overcloud		TI		
overcome	◊	T		7
overcrowd	◊	TI		
overdo		T	es	8
overdose		T		
overdraw		T		7
overdress		T	es	
overdrive		T		8
overeat		I		7
overestimate		T		
overexcite		T		
overfeed		TI		4
overflow	◊	TI		
overgrow		TI		7
overhang		TI		3
overhaul		T		
overhear		T		4
overheat		TI		
overink		T		
overlap		TI	▷	
overlay	◊	T		2
overlie		T	yi	6
overload		T		
overlook		T		
overmaster		T		
overpass	◊	TI	es	
overpay		T		2
overplay		T		
overpower	◊	T		
overpraise		T		
overproduce		T		
overrate		T		
overreach		TI	es	
override		T		8
overrule		T		
overrun	◊	TI	▷	7
oversee		T		7
oversew		T		9
overshoot		T		5
oversleep		I		5
overstate		T		
overstay		T		
oversteer		I		
overstep		T	▷	
overstock	◊	T		
overstrain		T		
overstress		T	es	
overtake		T		7

Verbes pouvant s'associer avec des particules ◊ de 1 à 10, ♦ de 11 à 30, ♦ plus de 30
A = Auxiliaire T = Verbe transitif
I = Verbe intransitif O = Verbe à complémentation

overtax		T	es
overthrow		T	7
overtop		T	▷
overtrump		T	
overturn		TI	
overvalue		T	
overwhelm	◇	T	
overwork		TI	
overwrite		T	8
owe	◇	T	○
own	◇	T	
oxidize		TI	
oxygenate		T	

p

pace	♦	TI	
pacify		T	ie
pack	◇	TI	
package		T	
pad	♦	T	▷
paddle		TI	
padlock		T	
page	◇	T	
paginate		T	
pain		T	○
paint	◇	TI	
pair	◇	TI	
pal	◇	I	▷
palatalize		T	
palaver		I	
pale	◇	I	
palisade		T	
pall	◇	I	
palliate		T	
palm	◇	T	
palpate		T	
palpitate		I	
palter	◇	I	
pamper		T	
pan	◇	TI	▷
pancake		I	
pander	◇	TI	
panel		T	▷
panhandle		TI	
panic		TI	
pant	◇	TI	
pantomime		TI	
paper	◇	T	
parachute	◇	TI	
parade		TI	
paraffin		T	
paragraph		T	
parallel		T	
paralyse		T	
paraphrase		T	
parboil		T	
parcel	◇	T	▷
parch	◇	TI	es
pardon	◇	T	○
pare	◇	T	
parenthesize		T	
park		TI	
parley	◇	I	
parody		T	ie
parole		T	
part	◇	TI	
partake	◇	I	7
participate	◇	I	
particularize		TI	
partition	◇	T	
partner	◇	T	
pass	♦	TI	es
paste	◇	T	
pasteurize		T	
pasture		TI	
pat	◇	T	▷
patch	◇	T	es
patent		T	
patrol		TI	▷
patronize		T	
patter	◇	I	
pattern	◇	T	
pauperize		T	
pause	◇	I	
pave	◇	T	
paw	◇	T	

▷ = Redoublement de la consonne finale
ie = *y* final remplacé par *ie* à la 3e pers. du sing. et au passé
es = *e* ajouté à la 3e pers. du sing.
yi = *ie* devient *y* devant ing (*to die* → *dying*)

Verbe	Particules	Type	
pawn		T	
pay	♦	TI	○ 2
peach	◊	TI	es
peal	◊	TI	
pearl		I	
pebble		T	
peck	◊	T	
peculate		I	
pedal		TI	▷
peddle		TI	
pee		I	
peek	◊	I	
peel	◊	TI	
peep	◊	I	
peer	◊	I	
peeve		T	
peg	◊	TI	▷
pelt	◊	TI	
pen	◊	T	▷
penalize	◊	T	○
pencil		T	▷
penetrate	◊	TI	
pension	◊	T	
people	◊	T	
pep	◊	T	▷
pepper	◊	T	
perambulate		TI	
perceive		T	○
perch	◊	TI	es
percolate	◊	TI	
percuss		TI	es
perfect		T	
perforate	◊	TI	
perform	◊	TI	
perfume		T	
perish	◊	TI	es
perjure		T	
perk	◊	TI	
permeate	◊	TI	
permit	◊	TI	○ ▷
permute		T	
perorate		I	
peroxide		T	
perpetrate		T	
perpetuate		T	
perplex		T	es
persecute		T	
persevere	◊	I	○
persist	◊	I	○
personalize		T	
personify		T	ie
perspire		I	
persuade	◊	T	○
pertain	◊	I	
perturb		T	
peruse		T	
pervade	◊	T	
pervert		T	
pester	◊	T	○
pestle		TI	
pet		T	▷
peter	◊	I	
petition	◊	T	
petrify		TI	ie
pettifog		I	▷
phase	◊	T	
philander	◊	I	
philosophize	◊	I	
phone	◊	TI	
photograph		TI	
photostat		T	▷
phrase		T	
pick	◊	TI	
picket		TI	
pickle		T	
picnic		I	
picture	◊	T	
piddle		I	
piece	◊	T	
pierce	◊	TI	
pig	◊	I	▷
pigment		T	
pile	◊	TI	
pilfer	◊	TI	
pillage		TI	
pillory		T	ie
pillow	◊	T	
pilot	◊	T	

Verbes pouvant s'associer avec des particules ◊ de 1 à 10, ♦ de 11 à 30, ♦ plus de 30
A = Auxiliaire
T = Verbe transitif   I = Verbe intransitif
O = Verbe à complémentation

pimp	◇	I	
pin	◇	T	▷
pinch	◇	TI	es
pine	◇	I	
ping		I	
pinion	◇	T	
pink	◇	T	
pioneer		TI	
pip		T	▷
pipe	◇	TI	
pique	◇	T	
pirate		T	
pirouette		I	
piss	◇	TI	es
pit	◇	T	▷
pitch	◇	TI	es
pitchfork		T	
pity		T	ie
pivot	◇	TI	
placard		T	
placate		T	
place	♦	T	
plagiarize		T	
plague	◇	T	
plait		T	
plan	◇	TI	○ ▷
plane	◇	TI	
planish		T	es
plank	◇	T	
plant	◇	T	
plash		I	es
plaster	◇	T	
plasticize		T	
plate	◇	T	
platinize		T	
platitudinize		I	
play	♦	TI	○
plead	◇	TI	
please		T	
pleat		T	
pledge	◇	T	○
plight		T	
plod	♦	I	▷
plonk	◇	T	
plop		I	▷
plot	◇	TI	○ ▷
plough	◇	TI	
plow	◇	TI	
pluck	◇	T	
plug	◇	TI	▷
plumb		T	
plume	◇	TI	○
plummet		TI	
plump	◇	TI	
plunder		T	
plunge	◇	TI	
plunk	◇	T	
ply	◇	TI	ie
poach	◇	TI	es
pocket		T	
pod		TI	▷
poeticize		T	
point	◇	TI	○
poise	◇	TI	
poison	◇	T	
poke	♦	TI	
polarize		T	
pole		T	
poleaxe		T	
polemize		I	
police		T	
polish	◇	T	es
poll		TI	
pollard		T	
pollinate		T	
pollute	◇	T	
pommel		T	▷
ponce		I	
ponder	◇	TI	
pong		I	
pontificate		I	
pony		TI	ie
pooh-pooh		TI	
pool		T	
poop	◇	T	
pop	♦	TI	▷
popularize		T	
populate		T	

▷ = Redoublement de la consonne finale
ie = *y* final remplacé par *ie* à la 3ᵉ pers. du sing. et au passé
es = *e* ajouté à la 3ᵉ pers. du sing.
yi = *ie* devient *y* devant ing (*to die* → *dying*)

Verbe	Particules	Type	Complémentation	Autre
pore	◊	I		
portend		T		
portion	◊	T		
portray		T		
pose	◊	TI		
posh	◊	T		es
position		T		
possess	◊	T		es
post	◊	TI		
postdate		T		
postpone	◊	T	○	
post-synchronize		T		
postulate	◊	TI		
posture		TI		
pot	◊	T		▷
potter	◊	I		
pouch		T		es
poultice		T		
pounce	◊	I		
pound	◊	TI		
pour	◊	TI		
pout		I		
powder	◊	T		
power	◊	T		
powwow	◊	I		
practise	◊	TI		
praise	◊	T	○	
prance	◊	I		
prang		T		
prank		I		
prate	◊	I		
prattle	◊	I		
pray	◊	TI	○	
preach	◊	TI		es
prearrange		T		
precede		T		
precipitate	◊	TI		
preclude	◊	T	○	
preconceive		T		
precondition		T		
precool		T		
predate		T		
predecease		T		
predestinate	◊	T		
predestine	◊	T		
predetermine		T		
predict		TI	○	
predispose	◊	T		
predominate	◊	I		
pre-empt		T		
preen	◊	T	○	
pre-establish		T		es
pre-exist		I		
prefabricate		T		
preface	◊	T		
prefer	◊	T	○	▷
prefigure		T		
prefix	◊	T		es
preheat		T		
prejudge		T		
prejudice	◊	T	○	
prelude	◊	TI		
premeditate		T		
premiere		T		
premise		T	○	
preoccupy		T		ie
preordain		T		
prepack		T		
prepare	◊	TI	○	
prepay		T		2
preponderate	◊	I		
prepossess	◊	T		es
prerecord		T		
presage	◊	T	○	
prescribe	◊	T		
present	◊	T		
preserve	◊	T		
pre-shrink		T		8
preside	◊	I		
presort		T		
press	♦	TI	○	es
pressure	◊	T	○	
pressurize		T		
prestore		T		
prestress		I		es
presume	◊	TI	○	
presuppose		T	○	
pretend	◊	TI	○	

Verbes pouvant s'associer avec des particules ◊ de 1 à 10, ♦ de 11 à 30, ♦ plus de 30
A = Auxiliaire
T = Verbe transitif   I = Verbe intransitif
O = Verbe à complémentation

pretext		T		
prettify		T		ie
prevail	◊	I		
prevaricate		I		
prevent	◊	T	○	
prey	◊	I		
price	◊	T		
prick	◊	TI		
prickle		TI		
pride	◊	T	○	
prim	◊	T		▷
prime	◊	T		
primp	◊	TI		
prink	◊	TI		
print	◊	TI	○	
prise	◊	T		
privilege		T	○	
prize	◊	T		
probate		T		
probe	◊	T		
proceed	◊	I	○	
process		T		es
proclaim		T		
procrastinate		I		
procreate		T		
procure	◊	T		
prod	◊	T	○	▷
produce	◊	TI		
profane		T		
profess		T	○	es
proffer		T		
profile		T		
profit	◊	TI	○	
profiteer		I		
prognosticate		T		
program		TI		▷
progress	◊	I		es
prohibit	◊	T	○	
project	◊	TI		
prolapse		I		
proletarianize		T		
proliferate		I		
prolong		T		
promenade		I		
promise	◊	TI	○	
promote	◊	T		
prompt		T	○	
promulgate		T		
pronounce	◊	T		
proof		T		
prop	◊	T		▷
propagandize		TI		
propagate		TI		
propel		T		▷
prophesy		TI	○	ie
propitiate		T		
proportion		T		
propose	◊	T	○	
proposition		T		
propound		T		
prorate		T		
prorogue		T		
proscribe		T	○	
prosecute	◊	T	○	
proselyte		TI		
proselytize		TI		
prospect	◊	TI		
prosper	◊	TI		
prostitute		T		
prostrate	◊	T		
protect	◊	T		
protest	◊	TI	○	
protract		T		
protrude	◊	TI		
prove	◊	TI	○	
provide	◊	TI		
provision	◊	T		
provoke	◊	T	○	
prowl	◊	I		
prune	◊	TI		
pry	◊	TI		ie
psalmodize		I		
psych	◊	TI		
psychoanalyse		T		
publicize		T		
publish		T		es
pucker	◊	TI		
puddle	◊	TI		

▷ = Redoublement de la consonne finale
ie = *y* final remplacé par *ie* à la 3e pers. du sing. et au passé
es = *e* ajouté à la 3e pers. du sing.
yi = *ie* devient *y* devant ing (*to die* → *dying*)

Verbe	Particules	Type	Autres
puff	♦	TI	
pug		T	▷
puke		TI	
pule		I	
pull	♦	T	
pullulate		I	
pulp		T	
pulsate		I	
pulse	◇	I	
pulverize		TI	
pummel		T	▷
pump	◇	TI	
pun		I	▷
punch	◇	T	es
punctuate	◇	T	
puncture		TI	
punish	◇	T	○ es
punt		TI	
pup		I	▷
pupate		I	
purchase		T	
purge	◇	T	
purify	◇	T	ie
purl		T	
purloin		T	
purport		T	○
purpose		T	○
purr		I	
purse	◇	T	
pursue		TI	
purvey		T	
push	♦	TI	es
put	♦	TI	○ ▷ 1
putrefy		TI	ie
putt		TI	
putter	◇	I	
putty	◇	T	ie
puzzle	◇	TI	○

q

Verbe	Particules	Type	Autres
quack		I	
quadrate		TI	
quadruple		TI	
quaff		T	
quail	◇	I	
quake	◇	I	
qualify	◇	TI	ie
quantize		T	
quarantine		T	
quarrel	◇	I	○ ▷
quarry		T	ie
quarter		T	
quash		T	es
quaver		I	
queen		TI	
queer		T	
quell		T	
quench		T	es
query	◇	T	○ ie
question	◇	T	○
queue	◇	I	
quibble	◇	I	
quicken	◇	TI	
quicksilver		T	
quiesce		I	
quiet	◇	TI	
quieten	◇	TI	
quilt		T	
quintuple		TI	
quit	◇	TI	○ ▷ 1
quiver	◇	TI	
quiz		T	▷
quoin		T	
quote	◇	T	

r

Verbe	Particules	Type	Autres
rabbet		T	
rabbit	◇	I	
race	♦	TI	
rack	◇	T	
racket	◇	I	
raddle		T	
radiate	◇	TI	
radio		TI	

Verbes pouvant s'associer avec des particules ◇ de 1 à 10, ♦ de 11 à 30, ♦ plus de 30
A = Auxiliaire
T = Verbe transitif I = Verbe intransitif
O = Verbe à complémentation

radiograph		T			
raffle		T			
raft	◊	TI			
rag		T		▷	
rage	◊	I			
raid		T			
rail	◊	TI			
railroad	◊	T	○		
rain*	◊	TI			
rainproof		T			
raise	◊	T			
rake	◊	T			
rally	◊	TI		ie	
ram	◊	T		▷	
ramble	◊	I			
ramify		TI		ie	
ramp	◊	I			
rampage	◊	I			
ranch		I		es	
randomize		T			
range	◊	TI			
rank	◊	TI			
rankle	◊	I			
ransack	◊	T			
ransom		T			
rant		I			
rap	◊	TI		▷	
rape		T			
rarefy		TI		ie	
rase		T			
rasp	◊	TI			
rat	◊	I		▷	
rate	◊	TI	○		
ratify		T		ie	
ratiocinate		I			
ration	◊	T			
rationalize		T			
rattle	♦	TI			
ravage		T			
rave	◊	I			
ravel	◊	TI		▷	
raven		TI			
ravish		T		es	
raze	◊	T			
razz		T		es	
reabsorb		T			
reach	◊	TI		es	
react	◊	I			
read	♦	TI	○		4
readjust		T			
realize	◊	T	○		
ream	◊	T			
reanimate		T			
reap	◊	T			
reappear		I			
reapply	◊	TI		ie	
reappoint		T			
rear	◊	TI			
rearm		T			
rearrange		T			
reason	◊	TI	○		
reassemble		TI			
reassert		T			
reassess		T		es	
reassume		T			
reassure	◊	T			
reawaken		TI			
rebel	◊	I	○	▷	
rebind		T			3
reboot		T			
rebore		T			
rebound	◊	I			
rebroadcast		T			1
rebuff		T			
rebuild		T			2
rebuke	◊	T	○		
recalculate		T			
recalibrate		T			
recall	◊	T	○		
recant		TI			
recap		TI		▷	
recapitulate		TI			

* *Rain :* ne s'emploie qu'avec *It* : « *It's raining* : il pleut ».

▷ = Redoublement de la consonne finale
ie = *y* final remplacé par *ie* à la 3e pers. du sing. et au passé
es = *e* ajouté à la 3e pers. du sing.
yi = *ie* devient *y* devant ing (*to die* → *dying*)

Verbe	Particules	Type	O	Forme	No
recapture		T			
recast	◊	T			1
recede	◊	I			
receipt		T			
receive	◊	T			
recess		TI		es	
recharge		TI			
rechristen		T			
reciprocate		TI			
recite	◊	TI			
reckon	◊	TI	○		
reclaim	◊	T			
recline	◊	TI			
reclothe		T			
recognize	◊	T			
recoil	◊	I	○		
recollect		TI	○		
recommence		TI			
recommend	◊	T	○		
recommission		T			
recompense	◊	T	○		
recomplement		T			
recompute		T			
reconcile	◊	T			
recondition		T			
reconfigure		T			
reconnect		T			
reconnoitre		TI			
reconquer		T			
reconsider		T	○		
reconsolidate		T			
reconstitute		T			
reconstruct	◊	T			
reconvert		T			
recopy		T		ie	
record	◊	T			
recork		T			
recount	◊	T	○		
recoup	◊	T			
recover	◊	TI			
recreate		T			
recriminate	◊	I			
recross		TI		es	
recrudesce		I			
recruit	◊	T	○		
rectify		T		ie	
recultivate		T			
recuperate	◊	TI			
recur	◊	I		▷	
recut		T		▷	1
redact		T			
redden		TI			
redecorate		T			
redeem	◊	T			
redeploy		T			
redial		T		▷	
redirect	◊	T			
rediscover		T			
redistribute		T			
redo		T		es	8
redouble		TI			
redound	◊	I			
redraft		T			
redraw		T			7
redress		T		es	
reduce	◊	TI	○		
reduplicate		T			
re-echo		TI		es	
re-edit		T			
re-educate		T			
reef	◊	T			
reek	◊	I			
reel	◊	TI			
re-elect		T			
re-embark		TI			
re-emerge		I			
re-employ		T			
re-enable		T			
re-enact		T			
re-engage		T			
re-enlist		TI			
re-enter		TI			
re-equip	◊	T		▷	
re-erect		T			
re-establish	◊	T		es	
reeve	◊	T			3
re-examine		T			
refan		T		▷	

Verbes pouvant s'associer avec des particules ◊ de 1 à 10, ♦ de 11 à 30, ♦ plus de 30
A = Auxiliaire
T = Verbe transitif   I = Verbe intransitif
O = Verbe à complémentation

▷ = Redoublement de la consonne finale
ie = *y* final remplacé par *ie* à la 3e pers. du sing. et au passé
es = *e* ajouté à la 3e pers. du sing.
yi = *ie* devient *y* devant ing (*to die* → *dying*)

Verbe	Particules	Type	Complémentation	Forme	
relearn		T			2
release	◊	T			
relegate	◊	T			
relent		I			
relet		T		▷	1
relieve	◊	T			
relight		TI			
reline		T			
relink		T			
relinquish		T		es	
relish		T	○	es	
relive		T			
reload		T			
relocate		T			
rely	◊	I		ie	
remain	◊	I	○		
remainder		T			
remake		T			2
remand	◊	T			
remark	◊	TI	○		
remarry		I		ie	
remedy		T		ie	
remelt		TI			
remember	◊	TI	○		
remilitarize		T			
remind	◊	T	○		
reminisce	◊	I			
remit	◊	T		▷	
remodel		T		▷	
remonstrate	◊	TI	○		
remould		T			
remount		TI			
remove	◊	TI			
remunerate	◊	T			
rename		T			
rend	◊	T			2
render	◊	T			
rendezvous		I		es	
renege	◊	I			
renew		TI			
renounce		T			
renovate		T			
rent	◊	T			
renumber		T			
reoccupy		T		ie	
reopen		TI			
reorder		T			
reorganize		TI			
repackage		T			
repaginate		T			
repaint		T			
repair		T			
repaper		T			
repatriate		T			
repay	◊	T			2
repeal		T			
repeat		TI	○		
repel	◊	T		▷	
repent	◊	TI	○		
repeople		T			
rephrase		T			
repine	◊	I			
replace	◊	T			
replant		T			
replaster		T			
replate	◊	T			
replay		T			
repleat		T			
replenish	◊	T		es	
replicate		T			
replot		T		▷	
replug		T		▷	
reply	◊	TI	○	ie	
repolish		T		es	
report	◊	TI	○		
repose	◊	TI			
reposition		T			
repossess		T		es	
reprehend	◊	T	○		
represent	◊	T	○		
repress		T		es	
reprieve		T			
reprimand	◊	T	○		
reprint	◊	T			
reproach	◊	T	○	es	
reprobate		T			
reprocess		T		es	
reproduce	◊	TI			

Verbes pouvant s'associer avec des particules ◊ de 1 à 10, ♦ de 11 à 30, ♦ plus de 30
A = Auxiliaire
T = Verbe transitif   I = Verbe intransitif
O = Verbe à complémentation

reprogram		T		▷	
reproof		T			
reprove	◇	T	○		
republicanize		T			
republish		T		es	
repudiate		T			
repulse	◇	T			
repurchase		T			
repute	◇	T	○		
request	◇	T	○		
require	◇	T	○		
requisition	◇	T			
requite	◇	T			
reread		T			4
reroute		T			
resaddle		T			
reschedule		T			
rescind		T			
rescue	◇	T			
research	◇	TI		es	
reseat		T			
resect		T			
resell		T			4
resemble		T			
resent		T	○		
reserve	◇	T			
reset		T		▷	1
resettle	◇	TI			
reshape		T			
reship		T		▷	
reshoe		T			
reshuffle		T			
reside	◇	I			
resign	◇	TI	○		
re-silver		T			
resist		TI	○		
resole		T			
resolve	◇	TI	○		
resort	◇	I	○		
resound	◇	I			
respect	◇	T			
respire		TI			
respite		T			
respond	◇	TI			
respool		T			
rest	◇	TI			
restack		T			
restart		TI			
restate		T			
restitch		T		es	
restitute	◇	T			
restock	◇	T			
restore	◇	T			
restow		T			
restrain	◇	T	○		
restrict	◇	T	○		
restring		T			
result	◇	I	○		
resume		TI	○		
resurface		T			
resurge		I			
resurrect		T			
resuscitate		TI			
ret		T		▷	
retail	◇	T			
retain	◇	T			
retake		T			1
retaliate	◇	I			
retard		T			
retch		I		es	
retell		T			4
retemper		T			
reticulate		TI			
retighten		T			
retile		T			
retire	◇	TI			
retort		T	○		
retouch		T		es	
retrace		T			
retract		TI			
retrain		TI			
retranslate		T			
retransmit		T		▷	
retread		T			6
retread		T			
retreat	◇	TI			
retrench		T		es	
retrieve	◇	T			

▷ = Redoublement de la consonne finale
ie = *y* final remplacé par *ie* à la 3e pers. du sing. et au passé
es = *e* ajouté à la 3e pers. du sing.
yi = *ie* devient *y* devant ing (*to die* → *dying*)

retrim		T	▷	
retroact	◊	I		
retrocede		TI		
retrograde		I		
retrogress		I	es	
retry		T	ie	
returf		T		
return	◊	TI		
reunite	◊	TI		
rev	◊	TI	▷	
revaccinate		T		
revalorize		T		
revalue		T		
revarnish		T	es	
reveal	◊	T	○	
revel	◊	I	○ ▷	
revenge	◊	T		
reverberate		TI		
revere		T		
reverence		T		
reverse		TI		
revert	◊	I	○	
review		T		
revile	◊	TI		
revise		T		
revisit		T		
revitalize		T		
revive		TI		
revivify		T	ie	
revoke		TI		
revolt	◊	TI	○	
revolutionize		T		
revolve	◊	TI		
reward	◊	T	○	
reweigh		T		
rewind		T		4
rewire		T		
reword		T		
rewrite		T		8
rhapsodize	◊	I		
rhyme	◊	TI		
rib		T	▷	
ricochet		I	▷	
rid	◊	T	▷	1
riddle	◊	T		
ride	♦	TI		8
ridge		TI		
ridicule		T		
riffle		T		
rifle	◊	T		
rig	◊	T	▷	
right		T		
rile		T		
ring	◊	TI		8
ring	◊	TI		
rinse	◊	T		
riot		I		
rip	◊	TI	▷	
ripen		TI		
riposte		I		
ripple		TI		
rise	◊	I		8
risk	◊	T		
rival		T	▷	
rivalize	◊	I		
rive		TI		9
rivet	◊	T		
roam	◊	TI		
roar	◊	TI		
roast		TI		
rob	◊	T	▷	
robe		TI		
rock	◊	TI		
rocket	◊	I		
roister		I		
roll	♦	TI		
rollick		I		
romance		I		
Romanize		TI		
romanticize		TI		
romp	◊	I		
Roneo		T	es	
roof	◊	T		
rook		T		
room	◊	I		
roost		I		
root	◊	TI		
rootle		TI		

Verbes pouvant s'associer avec des particules ◊ de 1 à 10, ♦ de 11 à 30, ♦ plus de 30
A = Auxiliaire
T = Verbe transitif I = Verbe intransitif
O = Verbe à complémentation

▷ = Redoublement de la consonne finale
ie = *y* final remplacé par *ie* à la 3ᵉ pers. du sing. et au passé
es = *e* ajouté à la 3ᵉ pers. du sing.
yi = *ie* devient *y* devant ing (*to die* → *dying*)

scan		TI		▷	
scandalize	◊	T			
scar	◊	TI		▷	
scare	◊	T	○		
scarify		T		ie	
scatter	◊	TI			
scavenge		TI			
scent	◊	T			
schedule	◊	T	○		
schematize		TI			
scheme	◊	TI	○		
school	◊	T	○		
scintillate		I			
scissor		T			
scoff	◊	I			
scold	◊	TI	○		
scoop	◊	T			
scorch	◊	TI		es	
score	◊	TI			
scorn		T	○		
scotch		T		es	
scour	◊	TI			
scourge		T			
scout	◊	TI			
scowl	◊	I			
scrabble	◊	I			
scrag		T		▷	
scram		I		▷	
scramble	♦	TI			
scrap		T		▷	
scrape	◊	TI			
scratch	◊	TI		es	
scrawl		TI			
scream	◊	TI			
screech		TI		es	
screen	◊	T			
screw	◊	TI			
scribble	◊	TI			
scribe		TI			
scroll	◊	TI			
scrounge	◊	TI			
scrub	◊	TI		▷	
scrunch		TI		es	
scruple		I	○		
scrutinize		T			
scud	♦	I		▷	
scuff	◊	TI			
scuffle	◊	I			
scull		TI			
sculpt		TI			
sculpture	◊	T			
scum		TI		▷	
scupper		T			
scurry	♦	I		ie	
scuttle	♦	I			
scythe		T			
seal	◊	T			
seam	◊	T			
sear		T			
search	◊	TI		es	
season	◊	TI			
seat	◊	T			
secede	◊	I			
seclude	◊	T			
second	◊	T			
secrete		TI			
section	◊	T			
secularize		T			
secure	◊	TI			
sedate		T			
seduce	◊	T	○		
see	♦	TI	○		7
seed		TI			
seek	◊	TI	○		5
seem		I	○		
seep	◊	I			
seesaw		I			
seethe	◊	I			
segment		TI			
segregate	◊	TI			
seize	◊	TI			
select	◊	T			
sell	◊	TI			4
semaphore		T			
send	♦	TI			2
sense		T	○		
sensitize		T			
sentence	◊	T			

Verbes pouvant s'associer avec des particules ◊ de 1 à 10, ♦ de 11 à 30, ♦ plus de 30
A = Auxiliaire
T = Verbe transitif I = Verbe intransitif
O = Verbe à complémentation

▷ = Redoublement de la consonne finale
ie = *y* final remplacé par *ie* à la 3e pers. du sing. et au passé
es = *e* ajouté à la 3e pers. du sing.
yi = *ie* devient *y* devant ing (*to die* → *dying*)

sick	◊	T		
sicken	◊	TI	○	
side	◊	I		
sidle	♦	I		
sieve	◊	TI		
sift	◊	TI		
sigh	◊	I		
sight		T		
sign	◊	TI		
signal	◊	TI	○ ▷	
signalize		T		
signify		TI	ie	
signpost		T		
silence		T		
silhouette	◊	T		
silt	◊	TI		
silver		T		
simmer	◊	TI		
simper		I		
simplify		T	ie	
simulate		T		
sin	◊	I	▷	
sing	◊	TI		8
singe		T		
single	◊	T		
singularize		T		
sink	◊	TI		8
sip		T	▷	
siphon	◊	T		
sire		T		
sit	♦	TI	▷	5
site		T		
situate		T		
size	◊	T		
sizzle		I		
skate	◊	I		
skedaddle		I		
sketch	◊	T	es	
skew		TI		
skewer		T		
ski		I		
skid		I	▷	
skim	◊	TI	▷	
skimp	◊	TI		
skin	◊	T	▷	
skip	♦	TI	▷	
skirmish	◊	I	es	
skirt	◊	TI		
skive	◊	T		
skulk		I		
skyjack		T		
skylark		I		
skyrocket		I		
slack	◊	TI		
slacken	◊	TI		
slake		TI		
slam	◊	TI	▷	
slander		T		
slang		T		
slant	◊	TI		
slap	◊	T	▷	
slash		TI	es	
slate		T		
slaughter		T		
slave	◊	I		
slaver		I		
slay		T		7
sledge	♦	TI		
sleek		T		
sleep	◊	TI		5
sleet		I		
sleigh		TI		
slenderize		T		
sleuth	◊	I		
slew	◊	TI		
slice	◊	T		
slick	◊	T		
slide	♦	TI		6
slight		T		
slim	◊	TI	▷	
sling	◊	T		3
slink	◊	I		3
slip	♦	TI	▷	
slit	◊	T	▷	1
slither	♦	TI		
sliver		TI		
slobber	◊	I		
slog	♦	TI	▷	

Verbes pouvant s'associer avec des particules ◊ de 1 à 10, ♦ de 11 à 30, ♦ plus de 30
A = Auxiliaire
T = Verbe transitif   I = Verbe intransitif
O = Verbe à complémentation

* *Snow :* ne s'emploie qu'avec *It* : « *it's snowing* : il neige ».

▷ = Redoublement de la consonne finale
ie = *y* final remplacé par *ie* à la 3e pers. du sing. et au passé
es = *e* ajouté à la 3e pers. du sing.
yi = *ie* devient *y* devant ing (*to die* → *dying*)

sort	◊	T		
sough		I		
sound	◊	TI		
soup	◊	T		
sour		TI		
souse	◊	TI		
south		I		
sovietize		T		
sow	◊	TI		9
space	◊	T		
spade	◊	T		
span		T	▷	
spangle	◊	T		
spank	◊	T		
spar	◊	I	▷	
spare	◊	T		
spark	◊	TI		
sparkle	◊	I		
spatter	◊	TI		
spawn	◊	TI		
spay		T		
speak	◊	TI		6
spear	◊	T		
specialize	◊	TI		
specify		T	O	ie
speck		T		
speckle		T		
speculate	◊	I		
speechify		I		ie
speed	◊	TI		3
spell	◊	T		2
spend	◊	T		2
spew	◊	TI		
spice	◊	T		
spiel	◊	TI		
spike		TI		
spile		T		
spill	◊	TI		2
spin	◊	TI	▷	3
spiral	◊	I	▷	
spirit	◊	T		
spit		T	▷	
spit	◊	TI	▷	5
spite		T		
splash	◊	TI		es
splay	◊	TI		
splice		T		
spline		T		
splint		T		
splinter	◊	TI		
split	◊	TI	▷	1
splodge		TI		
splotch	◊	T		es
splurge	◊	I		
splutter	◊	TI		
spoil	◊	TI		2
spoke		T		
sponge	◊	TI		
sponsor		T		
spook		T		
spool		T		
spoon	◊	TI		
spoon-feed		T		4
spoor		TI		
sport	◊	TI		
spot		T	▷	
spotlight		T		
spout	◊	TI		
sprain		T		
sprawl	◊	I		
spray	◊	TI		
spread	◊	TI		1
spring	◊	TI		8
sprinkle	◊	T		
sprint	♦	I		
sprout	◊	TI		
spruce	◊	T		
spud		T	▷	
spur	◊	T	▷	
spurn		T		
spurt	◊	TI		
sputter	◊	TI		
spy	◊	TI		ie
squabble	◊	TI		
squall		I		
squander	◊	T		
square	◊	TI		
squash	◊	TI		es

Verbes pouvant s'associer avec des particules ◊ de 1 à 10, ♦ de 11 à 30, ♦ plus de 30
A = Auxiliaire
T = Verbe transitif I = Verbe intransitif
O = Verbe à complémentation

▷ = Redoublement de la consonne finale
ie = *y* final remplacé par *ie* à la 3e pers. du sing. et au passé
es = *e* ajouté à la 3e pers. du sing.
yi = *ie* devient *y* devant ing (*to die* → *dying*)

strain	◇	TI			
strand	◇	TI			
strangle		T			
strangulate		T			
strap	◇	T		▷	
stratify		T		ie	
stray	♦	I			
streak	♦	TI			
stream	♦	TI			
streamline		T			
strengthen		T			
stress		T		es	
stretch	◇	TI		es	
strew	◇	T			9
stride	♦	TI			8
stridulate		I			
strike	♦	TI	○		3
string	◇	T			3
strip	◇	TI		▷	
stripe	◇	I			
stripe		T			
strive	◇	I	○		8
stroke		T			
stroll	♦	I			
strop		T		▷	
struggle	♦	I			
strum	◇	TI		▷	
strut	♦	I		▷	
stub	◇	T		▷	
stucco		T		es	
stud	◇	T		▷	
study	◇	TI		ie	
stuff	◇	T			
stultify		T		ie	
stumble	♦	I			
stump	♦	TI			
stun		T		▷	
stunt		TI			
stupefy	◇	T		ie	
stutter	◇	TI			
style		T			
stylize		T			
subcontract		TI			
subdivide	◇	TI			
subdue		T			
sub-edit		T			
subject	◇	T			
subjoin		T			
subjugate		T			
sublease		TI			
sublet	◇	TI		▷	1
sublimate		T			
submerge	◇	TI			
submit	◇	TI	○	▷	
subordinate	◇	T			
suborn		T			
subpoena		T	○		
subrent		T			
subrogate		T			
subscribe	◇	I			
subserve		T			
subside	◇	I			
subsidize		T			
subsist	◇	I			
substantiate		T			
substitute	◇	TI			
subsume		T			
subtend		T			
subtilize		TI			
subtitle		T			
subtract	◇	T			
suburbanize		T			
subvert		T			
succeed	◇	TI	○		
succour		T			
succumb	◇	I			
suck	◇	TI			
suckle		TI			
sue	◇	TI			
suffer	◇	TI			
suffice	◇	TI			
suffix	◇	T		es	
suffocate		TI			
suffuse	◇	T			
sugar		T			
suggest	◇	T	○		
suit	◇	T			
sulk		I			

Verbes pouvant s'associer avec des particules ◇ de 1 à 10, ♦ de 11 à 30, ♦ plus de 30
A = Auxiliaire
T = Verbe transitif I = Verbe intransitif
O = Verbe à complémentation

▷ = Redoublement de la consonne finale
ie = *y* final remplacé par *ie* à la 3ᵉ pers. du sing. et au passé
es = *e* ajouté à la 3ᵉ pers. du sing.
yi = *ie* devient *y* devant ing (*to die* → *dying*)

syndicate T
synthetize T
syringe T
systematize T

t

table T
taboo T
tabulate T
tack ◊ TI
tackle ◊ T
tag ◊ TI ▷
tail ◊ TI
tailor ◊ T
taint ◊ T
take ♦ TI ○ 7
talk ♦ TI ○
tally ◊ TI ie
tame T
tamp ◊ T
tamper ◊ I
tan TI ▷
tang TI
tangle ◊ TI
tango I
tank ◊ I
tantalize T
tap ◊ TI ▷
tape T
taper ◊ TI
tar T ▷
tarnish TI es
tarry I ie
tart ◊ I
taste ◊ TI
tat TI ▷
tattle I
tattoo T
tauten TI
taw T
tax ◊ T ○ es
taxi ◊ I
teach TI ○ es 5
team ♦ TI
tear ♦ TI 6
tease ◊ T
tee ◊ TI
teem ◊ I
teeter I
teethe I
telecast TI 1
telegraph ◊ TI
telephone ◊ TI
telescope ◊ TI
televise T
tell ♦ T ○ 4
temper ◊ T
temporize ◊ I
tempt ◊ T ○
tend T
tend ◊ I ○
tender ◊ TI
tense ◊ TI
term T
terminate ◊ TI
terrace T
terrify ◊ T ○ ie
test ◊ T
testify ◊ TI ○ ie
tether T
thank ◊ T ○
thatch T es
thaw ◊ TI
theorize ◊ TI
thicken ◊ TI
thieve TI
thin ◊ TI ▷
think ♦ TI ○ 5
thirst ◊ I
thrash ◊ TI es
thread ◊ T
threaten ◊ TI ○
thresh T es
thrill ◊ TI
thrive ◊ I 8

Verbes pouvant s'associer avec des particules ◊ de 1 à 10, ♦ de 11 à 30, ♦ plus de 30
A = Auxiliaire
T = Verbe transitif I = Verbe intransitif
O = Verbe à complémentation

▷ = Redoublement de la consonne finale
ie = *y* final remplacé par *ie* à la 3e pers. du sing. et au passé
es = *e* ajouté à la 3e pers. du sing.
yi = *ie* devient *y* devant ing (*to die* → *dying*)

Verbe	Particules	Type	Complémentation	Forme
transact	◇	T		
transcend		T		
transcribe		T		
transfer	◇	TI		▷
transfigure		T		
transfix	◇	T		es
transform	◇	T		
transfuse		T		
transgress		TI		es
tranship		TI		▷
translate	◇	TI		
transliterate		T		
transmit	◇	T		▷
transmogrify		T		ie
transmute	◇	T		
transpierce		T		
transpire		TI		
transplant		T		
transport	◇	T		
transpose	◇	T		
transude		I		
trap	◇	T	○	▷
travel	◇	TI		▷
traverse		TI		
travesty		T		ie
trawl		TI		
tread	◇	TI		6
treasure	◇	T		
treat	◇	TI		
treble		TI		
trek	◇	I		▷
trellis		T		es
tremble	◇	I		
trench	◇	TI		es
trend	◇	I		
trepan		T		▷
trespass	◇	I		es
trick	◇	T	○	
trickle	◇	I		
trifle	◇	TI		
trigger	◇	T		
trill		TI		
trim	◇	T		▷
trip	♦	TI		▷
triple		TI		
triplicate		T		
trisect		T		
triumph	◇	I		
troll		TI		
troop	◇	TI		
trot	♦	TI		▷
trouble	◇	TI	○	
trounce		T		
truck	◇	TI		
truckle	◇	I		
trudge	♦	I		
true	◇	T		
trump	◇	T		
trumpet	◇	TI		
truncate		T		
trundle	♦	TI		
truss	◇	T		es
trust	◇	TI	○	
try	◇	TI	○	ie
tub		TI		▷
tube		T		
tuck	◇	TI		
tuft		T		
tug	◇	TI		▷
tumble	◇	TI		
tumefy		TI		ie
tune	◇	TI		
tunnel	◇	TI		▷
turf	◇	T		
turn	♦	TI		
tussle	◇	I		
tutor	◇	T		
twaddle		I		
twang		TI		
tweak		T		
tweet		I		
twiddle	◇	T		
twig		T		▷
twin		T		▷
twine	◇	TI		
twinge		I		
twinkle	◇	I		
twirl		TI		

Verbes pouvant s'associer avec des particules ◇ de 1 à 10, ♦ de 11 à 30, ♦ plus de 30
A = Auxiliaire
T = Verbe transitif I = Verbe intransitif
O = Verbe à complémentation

u

▷ = Redoublement de la consonne finale
ie = *y* final remplacé par *ie* à la 3e pers. du sing. et au passé
es = *e* ajouté à la 3e pers. du sing.
yi = *ie* devient *y* devant ing (*to die* → *dying*)

unnerve		T			
unpack		TI			
unpick		T			
unpin	◊	T		▷	
unplug		T		▷	
unquote		I			
unravel		TI		▷	
unreel		TI			
unrobe		TI			
unroll		TI			
unsaddle		T			
unsay		T			2
unscramble		T			
unscrew		TI			
unseal		T			
unseat		T			
unsettle		T			
unsex		T		es	
unshackle		T			
unsheathe		T			
unship		T		▷	
unstick		T			3
unstitch		T		es	
unstop		T		▷	
unstrap	◊	T		▷	
unstring		T			3
untangle		T			
untether		T			
unthread		T			
untie		T		yi	
untuck		T			
untwine		T			
untwist		TI			
unveil		T			
unwind		TI			4
unwrap		T		▷	
upbraid	◊	T	○		
upgrade	◊	T			
uphold		T			4
upholster	◊	T			
uplift		T			
uproot	◊	T			
upset		TI		▷	1
upshift		I			
urbanize		T			
urge	◊	T	○		
urinate		I			
use	◊	T	○		
usher	◊	T			
usurp	◊	TI			
utilize	◊	T			
utter		T			

V

vacate		T			
vaccinate	◊	T			
vacillate	◊	I			
valet		T			
validate		T			
value	◊	T			
vamoose		I			
vamp	◊	TI			
vandalize		T			
vanish	◊	I		es	
vanquish		T		es	
vaporize		TI			
variegate		T			
varnish		T		es	
vary	◊	TI		ie	
vat		T		▷	
vault	◊	T			
vaunt		TI	○		
veer	◊	TI			
vegetate		I			
veil		T			
vein		T			
vend		T			
veneer		T			
venerate		T			
vent	◊	T			
ventilate		T			
venture	◊	TI	○		
verbalize		T			
verge	◊	I			
verify		T		ie	
versify		TI		ie	
vest	◊	TI			

Verbes pouvant s'associer avec des particules ◊ de 1 à 10, ♦ de 11 à 30, ♦ plus de 30
A = Auxiliaire
T = Verbe transitif I = Verbe intransitif
O = Verbe à complémentation

W

▷ = Redoublement de la consonne finale
ie = *y* final remplacé par *ie* à la 3e pers. du sing. et au passé
es = *e* ajouté à la 3e pers. du sing.
yi = *ie* devient *y* devant ing (*to die* → *dying*)

wedge	◊	T			
weed	◊	T			
weep	◊	TI			5
weigh	◊	TI			
weight	◊	T			
welcome	◊	T			
weld	◊	TI			
well	◊	I			
welter	◊	I			
wench		I		es	
westernize		T			
wet	◊	T		▷	
whack	◊	T			
whale		I			
wharf		TI			
wheedle	◊	T	○		
wheel	◊	TI			
wheeze	◊	I			
whelp		TI			
whet		T		▷	
whiff		TI			
while	◊	T			
whimper		TI			
whine		TI			
whip	♦	TI		▷	
whirl	♦	TI			
whirr	♦	I			
whisk	◊	TI			
whisper	◊	TI	○		
whistle	◊	TI			
white	◊	T			
whiten		TI			
whitewash		T		es	
whittle	◊	TI			
whizz	◊	I		es	
whop		T		▷	
whore	◊	I			
widen	◊	TI			
wield		T			
wiggle		TI			
wile		T			
will*		T	○		
wilt		I			
win	◊	TI		▷	3
wince	◊	I			
wind		T			
wind	◊	TI			3
window		T			
wing		TI			
wink	◊	TI			
winkle	◊	T			
winnow	◊	T			
winter	◊	TI			
wipe	◊	T			
wire	◊	T			
wish	◊	TI	○	es	
withdraw	◊	TI			7
wither	◊	TI			
withhold	◊	T			4
withstand		T			4
witness	◊	TI		es	
wobble	◊	I			
wolf	◊	T			
womanize		I			
wonder	◊	TI	○		
woo	◊	T	○		
woof		I			
word		T			
work	♦	TI	○		
worm	◊	T			
worry	◊	TI		ie	
worship		TI		▷	
worst		T			
would		A			
wound	◊	T			
wrangle	◊	I			
wrap	◊	T		▷	
wreak		T			
wreathe	◊	TI			
wreck		T			
wrench	◊	T		es	
wrest	◊	T			

* *Will :* ne pas confondre l'auxiliaire et le verbe *to will* (vouloir, léguer).

Verbes pouvant s'associer avec des particules ◊ de 1 à 10, ♦ de 11 à 30, ♦ plus de 30
A = Auxiliaire
T = Verbe transitif   I = Verbe intransitif
O = Verbe à complémentation

Verbes à complémentation

Se reporter à la grammaire p. 72 à 77.

TYPE	EXEMPLES	SYMBOLE
forme en *ing*	*I like reading*	1
infinitif (avec ou sans *to*) proposition infinitive	*I want to go* *I want you to come*	2
proposition complétive introduite par *that*	*I know that I can speak English well*	3
subjonctif	*I wish he were here*	4
double passif	*I was given a book*	5
passif de type...	*he is said to...*	6
interrogative indirecte	*I asked him what he was doing*	7
particule *in* ou *out of* +*ing*	*they laughed her out of coming*	8
particule sauf *into* ou *out of* +*ing*	*I agree about doing this*	9

abandon	1								
abhor	1	2							
abominate	1								
absorb									9
abstain									9
accept		2	3						
account									9
accuse									9
accustom									9
ache		2							
acknowledge	1		3			6			
add			3						
addict									9
adjure		2							
admit	1		3						
admonish		2							
adore	1	2							
advertise			3			6			
advise	1	2	3						
advocate	1	2	3						
affirm			3						
afford		2							
agree		2	3						9
aid		2							
aim									9
allege			3			6			
allocate					5				
allot					5				
allow		2			5				
amount									9
amuse									9
announce			3			6			
annunciate			3						
answer			3		5				9
anticipate	1								
apologize									9
appeal		2							
apply		2							9
appoint		2							
appreciate	1	2	3						
approve									9
argue			3						9
arrange		2							
ask		2	3		5				
aspire		2							
assert			3						
asseverate			3						
assist		2							9
associate									9
assume		2	3			6			
assure			3		5				
atone									9
attempt		2							
attest			3			6			
augur			3						
authorize		2							
avoid	1								
badger								8	
bear	1								
beat								8	
beg		2							
begin	1	2							9
believe			3			6			9
beseech		2							
beseem		2							
bet			3						
bethink			3						
bid		2							
bind		2							
blab			3						
blackmail		2						8	
blare			3						
blubber			3						
bluff								8	
boast			3						
bother		2							
bring		2			5				
broadcast			3						
burn		2							
burst		2							
cable			3						
calculate			3						9
care		2							9
cause		2							
caution		2	3						9
cease	1	2							
certify			3			6			
challenge		2				6			
champion	1								
chance		2							
charge									9
cheat								8	
cheer		2							
choose		2							
claim		2	3			6			
coax								8	
coerce								8	
come		2							
command		2							
commence	1	2							

entice		2						
entitle		2						
entreat		2						
escape	1							
essay		2						
excel								9
exclaim			3					
excuse								9
exempt								9
exercise								9
exert		2						
exhort		2						
expect		2	3		6			
explain			3			7		
extend								9
exult								9
fail		2						
familiarize								9
fancy	1		3					
fathom						7		
fear	1		3					
feel			3					9
find			3		6			
finish	1							9
flatter			3					9
fool							8	
forbid	1	2		5				
force		2					8	
forget	1	2	3			7		
forgive								9
frighten							8	9
funk	1							
get	1	2						
give				5				9
glory								9
go		2						
grant			3	5				
guess			3			7		
habituate								9
happen		2	3					
hasten		2						
hate	1	2						
hear	1	2	3		6	7		
help		2						
hesitate		2						
hint			3					
hope		2	3		6			
humiliate							8	
imagine	1	2	3		6	7		
impel		2						
implore		2						
imply			3					
import			3					
imprecate			3					
impress			3					
include	1							
induce		2						
indulge								9
infer			3					
inform			3					
inhibit								9
inquire						7		
insinuate			3					
insist			3					9
inspire		2						
instigate		2						
instruct		2			6			
intend	1	2						
interest		2						9
intimate			3					
invite		2						
involve	1							9
irk		2						
itch		2						
justify	1							9
keep	1							9
know			3		6	7		
laugh							8	
lay			3					
lead		2						
learn		2	3					
leave		2						
let		2						
license		2						
like	1	2						
limit								9
listen								9
loathe	1	2						
long		2						
love	1	2						
lure							8	
maintain			3					
make		2						
manage		2						
mark					6			
marvel			3					
matter			3					
mean		2	3		6			9
meditate	1							
mention			3		6	7		

resent 1
resign 9
resist 1
resolve 2
resort 9
restrain 9
result 3 9
resume 1
retort 3
reveal 3
revolt 9
reward 9
rush 8
say 3 6 7
scare 8
schedule 6
scheme 2
school 2
scorn 1 2
scruple 2
seduce 8
see 1 2 3 7
seek 2
seem 2 3
sense 3
set 9
shock 2 8
show 3 5 7
shrink 9
signal 2
smell 1 3
specify 3
stand 1
start 1 2 9
starve 8
state 3
stem 9
stick 9
stop 1 2 9
strike 3 9
strive 2
submit 3
subpoena 2
succeed 9
suggest 1 3
summon 2
supplicate 2
suppose 3 6
surmise 3
surprise 2 9
suspect 2 3 9
swear 2 3
take 3 9
talk 9
tax 9
teach 2 3 5 7
tell 2 3 5 7
tempt 2 9
tend 2
terrify 8
testify 3
thank 9
think 2 3 6 7 9
threaten 2
time 7
tire 9
tolerate 1
train 2
trick 8
trouble 2
trust 2 3
try 1 2
understand 3 7
unfit 2
urge 2 3
use 9
vaunt 3
venture 2
vote 3 9
vouchsafe 2
vow 2 3
wager 3
wait 2
want 2
warn 2 3 9
watch 1 2
whisper 3
will 2 3
wish 2 4
wonder 7
work 9
write 2 3
yearn 2
yen 2

Verbes irréguliers

- Le signe + indique que la forme peut être aussi régulière.
- Les numéros renvoient aux tableaux de formation des verbes irréguliers (pp. 93 à 103).

3	abide	+ abode	+ abode
8	arise	arose	arisen
3	awake	+ awoke	+ awoke
6	backslide	backslid	backslid
7	be	was/were	been
6	bear	bore	born/e
1	beat	beat	beat/en
7	become	became	become
7	befall	befell	befallen
6	beget	begot	begotten
8	begin	began	begun
4	behold	beheld	beheld
2	bend	bent	bent
5	bereave	+ bereft	+ bereft
5	beseech	+ besought	besought
1	beset	beset	beset
6	bespeak	bespoke	bespoken
9	bestrew	bestrewed	+ bestrewn
8	bestride	bestrode	bestridden
1	bet	bet	bet
7	betake	betook	betaken
5	bethink	bethought	bethought
7	bid	bade/bid	bidden/bid
4	bind	bound	bound
6	bite	bit	bit/ten
4	bleed	bled	bled
7	blow	blew	blown
6	break	broke	broken
4	breed	bred	bred
5	bring	brought	brought
1	broadcast	broadcast	broadcast
2	build	built	built
2	burn	+ burnt	+ burnt
1	burst	burst	burst

1	bust		bust		bust
5	buy		bought		bought
1	cast		cast		cast
5	catch		caught		caught
6	chide	+	chid	+	chidden
6	choose		chose		chosen
5	cleave	+	cleft/clove	+	cleft/cloven
3	cling		clung		clung
4	clothe	+	clad	+	clad
7	come		came		come
1	cost		cost		cost
8	countersink		countersank/sunk		countersunk
5	creep		crept		crept
4	crossbreed		crossbred		crossbred
1	cross-cut		cross-cut		cross-cut
1	cut		cut		cut
5	deal		dealt		dealt
6	defreeze		defroze		defrozen
3	dig		dug		dug
8	do		did		done
7	draw		drew		drawn
5	dream	+	dreamt	+	dreamt
8	drink		drank		drunk
8	drive		drove		driven
2	dwell		dwelt		dwelt
7	eat		ate		eaten
7	fall		fell		fallen
4	feed		fed		fed
5	feel		felt		felt
5	fight		fought		fought
4	find		found		found
4	flee		fled		fled
3	fling		flung		flung
8	fly		flew		flown
6	forbear		forbore		forborne
7	forbid		forbade		forbidden
1	forecast		forecast		forecast
8	forego		forewent		foregone
6	forget		forgot		forgotten/forgot
7	forgive		forgave		forgiven
7	forsake		forsook		forsaken
6	forswear		forswore		forsworn
6	freeze		froze		frozen
2	gainsay		gainsaid		gainsaid
5	get		got		got/gotten
2	gild	+	gilt	+	gilt
2	gird	+	girt	+	girt
7	give		gave		given
8	go		went		gone
9	grave		graved	+	graven

8	outride	outrode	outridden
7	outrun	outran	outrun
2	outspend	outspent	outspent
6	outwear	outwore	outworn
6	overbear	overbore	overborne
7	overbid	overbade/overbid	overbid/overbidden
2	overbuild	overbuilt	overbuilt
1	overcast	overcast	overcast
7	overcome	overcame	overcome
8	overdo	overdid	overdone
7	overdraw	overdrew	overdrawn
8	overdrive	overdrove	overdriven
7	overeat	overate	overeaten
4	overfeed	overfed	overfed
7	overgrow	overgrew	overgrown
3	overhang	overhung	overhung
4	overhear	overheard	overheard
2	overlay	overlaid	overlaid
6	overlie	overlay	overlain
2	overpay	overpaid	overpaid
8	override	overrode	overridden
7	overrun	overran	overrun
7	oversee	oversaw	overseen
9	oversew	oversewed	+ oversewn
5	overshoot	overshot	overshot
5	oversleep	overslept	overslept
7	overtake	overtook	overtaken
7	overthrow	overthrew	overthrown
8	overwrite	overwrote	overwritten
7	partake	partook	partaken
2	pay	paid	paid
2	prepay	prepaid	prepaid
8	pre-shrink	pre-shrank	pre-shrunk
1	put	put	put
1	quit	+ quit (U.S.)	+ quit (U.S.)
4	read	read	read
4	rebind	rebound	rebound
1	rebroadcast	rebroadcast	rebroadcast
2	rebuild	rebuilt	rebuilt
1	recast	recast	recast
1	recut	recut	recut
8	redo	redid	redone
7	redraw	redrew	redrawn
3	reeve	+ rove	+ rove
4	refeed	refed	refed
4	regrind	reground	reground
4	rehear	reheard	reheard
2	re-lay	re-laid	re-laid
2	relearn	+ relearnt	+ relearnt
1	relet	relet	relet

2	spend	spent	spent
2	spill	+ spilt	+ spilt
3	spin	spun	spun
5	spit	spat	spat
1	split	split	split
2	spoil	+ spoilt	+ spoilt
4	spoonfeed	spoonfed	spoonfed
1	spread	spread	spread
8	spring	sprang	sprung
4	stand	stood	stood
6	steal	stole	stolen
3	stick	stuck	stuck
3	sting	stung	stung
8	stink	stank	stank
9	strew	strewed	+ strewn
8	stride	strode	stridden
3	strike	struck	struck/stricken
3	string	strung	strung
8	strive	strove	striven
1	sublet	sublet	sublet
6	swear	swore	sworn
5	sweep	swept	swept
9	swell	swelled	swollen
8	swim	swam	swum
3	swing	swung	swung
7	take	took	taken
5	teach	taught	taught
6	tear	tore	torn
1	telecast	telecast	telecast
4	tell	told	told
5	think	thought	thought
8	thrive	+ throve	+ thriven
7	throw	threw	thrown
1	thrust	thrust	thrust
6	tread	trod	trodden
8	typewrite	typewrote	typewritten
2	unbend	unbent	unbent
4	unbind	unbound	unbound
1	underbid	underbid/bade	underbid/den
1	undercut	undercut	undercut
4	underfeed	underfed	underfed
8	undergo	underwent	undergone
6	underlie	underlay	underlain
4	undersell	undersold	undersold
5	undershoot	undershot	undershot
4	understand	understood	understood
7	undertake	undertook	undertaken
8	underwrite	underwrote	underwritten
8	undo	undid	undone
2	unsay	unsaid	unsaid

Verbes composés

Cette liste comprend les verbes susceptibles de s'associer aux **30 particules les plus courantes.**

Elles apparaissent après le verbe dans l'ordre de leur fréquence d'emploi.
Certains verbes trop rares ont été ici écartés, même s'ils figurent dans l'index général.
Pour les sens voir Grammaire du verbe : pp. 50 à 67.

abandon to
abash about (pass.)
abbreviate to
abet in
abide in, with, at, by
abound in, with
absent from
absolve from, of
absorb in (pass.) (+ ing.)
abstain from (+ ing.)
abstract from
abut on, against
accede to
accept as
access to
acclimatize to
accommodate with, to
accord with, to
account to, for (+ ing.)
accredit to
accrue to, from
accuse of (+ ing.)
accustom to (pass.) (+ ing.)
ache for
acknowledge as
acquaint with (pass.), to (pass.)
acquiesce in, to
acquit of
act up, out, on, for, upon, as
adapt to, from, for, as
add up, in, to, on
addict to (pass.) (+ ing.)
address to
adhere to
adjourn to, for
adjudicate in, on
adjust to
administer to
admire for
admit to
adopt as
adorn with
advance to, on, upon, towards
advert to
advertise for
advise with, on, about, of
affect at (pass.)
affiliate with, to
affirm to
affix to
afflict with (pass.)
agglutinate to
agitate for
agree with, to (+ ing.), on (+ ing.), upon (+ ing.)
aim for, at (+ ing.)
airmail to
alarm at (pass.)
alert to
alienate from
alight on, from, upon
align with
allocate to
allot to
allow up, out, in, to, for, into, through, of
allude to
allure to
ally with, to
alternate with
amalgamate with
amaze at (pass.)
amble up, out, in, to, on, from, over, down, about, into, off, away, around, back, through, upon, round, out of, by, along, towards, forward, forth, across
amount to (+ ing.)

amuse with (pass.) (+ ing.), at (pass.) (+ ing.), by (pass.) (+ ing.)
angle for, towards
animadvert on, upon
annex to
announce to
annoy about (pass.), at (pass.)
anoint with
answer up, to, for (+ ing.), back
apologize to, for (+ ing.)
appal at (pass.), by (pass.)
appeal to, for, against
appear in, on, for, at
append to
appertain to (+ ing.)
apply to (+ ing.)
appoint to, for
apprentice to
apprise of
approach to, about
approbate of (+ ing.)
appropriate to, for
approve of (+ ing.)
approximate to
arbitrate in, on, for
arch over
argue in (+ ing.), with, over (+ ing.), down, about (+ ing.), for, back, out of (+ ing.), against
arise for, out of
arm with, for, against
arouse from
arraign for (+ ing.)
arrange with, about, for
arrive in, at
arrogate to
ascribe to
ask up, out, in, to, over, about, for, back, round, of
aspire to
assail with
assent to
assess in, at, upon
assign to
assimilate with, to, into
assist in (+ ing.), with, at
associate in (+ ing.), with
assort with
assure against
astonish at (pass.)
atone for (+ ing.)
attach to
attain to
attend to, on, upon
attest to
attire in, with
attract to
attribute to
attune to
auction for
audition for
avail of
avenge of
average out
avert from
awake to, from
awaken to, from
award to
awe at (pass.)
babble out
back up, out, in, down, off, away
badger for, into (+ ing.)
bag up
bail out
bait with, into (+ ing.)
balance out, with, against
bale out
balk at (+ ing.)
ballot for (+ ing.), against (+ ing.)
bamboozle into (+ ing.), out of (+ ing.)
band against
bandage up
bandy about
bang up, out, on, down, about, into, away, around, upon, against
banish from
bank up, with, on
bar up, out, in, from (+ ing.)
bare of
bargain with, on, over, about, for, away
barge up, out, in, to, on, from, over, down, about, into, off, away, around, back, through, upon, round, out of, by, along, towards, forward, forth, across
bark at
barter with, for, away
base on (+ ing.)
bash up, in, about, upon
bask in
bat around
bathe in
batten on, down, back, upon
batter up, in, about, back

battle out, with, on, over, for, against
bawl out, for
bay at
be up, out, in, with, on, over, down, about, for, into, off, away, around, back, at, through, upon, round, out of, by, against, along
beam with, to
bear up, out, in, with, to, on, down, off, away, upon, against
beat up, out, in, to, on, down, about, into (+ ing.), off, back, at, upon, against
beckon in, to
become of
bed in, with, down
bedew with (pass.)
beef up
beetle off
befuddle with
beg from, for, off, of
begin with, as, on
begrime with
beguile with, into (+ ing.), out of (+ ing.)
behave towards
belch out, forth
believe in (+ ing.), of
bellow out
belly out
belong to
belt up, out, down, along
bend in, to, on, over, down, back, upon, forward
benefit from (+ ing.), by (+ ing.)
benumb with (pass.)
bequeath to
bereave of
beset with
besiege with
besmear with
besot with
bespatter with
besprinkle with
best at (+ ing.)
bestow on, upon
bestrew with
bet with, on, into
bethink of
betray into (+ ing.), out of (+ ing.)
betroth to
beware of
bias against, towards
bicker over, about
bicycle up, out, in, to, on, from, over, down, about, into, off, away, around, back, through, upon, round, out of, by, along, towards, forward, forth, across
bid over, about, for
bike up, out, in, to, on, from, over, down, about, into, off, away, around, back, through, upon, round, out of, by, along, towards, forward, forth, across
bilk out of
billet in, with, on
billow to
bind up, out, over, down, off
bitch about
bite on, into, off, back
blab out
black up, out
blacken out
blackmail into (+ ing.), out of (+ ing.)
blame on, for
blank out
blanket to
blare out, away
blaspheme against
blast off
blaze up, with, down, away
blazon out, forth
bleach out
bleat about
bleed to, for
blend in, with, into
bless with
blind to
blink away, back, at
block up, out, in, off
bloom into
blossom out, into, forth
blot up, out
blow up, out, in, to, on, over, down, about, into, off, away, around, back, upon, round
blubber out
bluff out, into (+ ing.), out of (+ ing.)
blunder out, on, away, through, upon
blur out, with
blurt out
blush with, for
bluster out
board up, out, in, with
boast about, of
bob up, to, down
bog down, off
boggle at

boil up, out, over, down, away
bolster up
bolt out, in, down
bomb up, out
bombard with
book up
boost up
boot out, out of
border on
bore out, for, through
borrow from, of
boss out of
bother about
bottle up
bottom up
bounce up, out, in, to, on, from, over, down, about, into, off, away, around, back, through, upon, round, out of, by, along, towards, forward, forth, across, at, against
bound with, away
bow with, away
bowl out, over, along
box up, in, off
brace up
brag about (+ ing.), of (+ ing.)
branch out, off
brand with, on
brazen out
break up, out, in, with, to, down, into, off, away, back, through
breakfast on, off
breathe out, in, on, down, into, upon
breeze in, through
brew up
bribe into (+ ing.), out of (+ ing.)
brick up, in
bridge over
bridle up, at
brighten up
brim over
bring up, out, in, in, to, on, over, down, about, off, away, around, back, through, upon, round, along, towards, forward, forth
bristle up, with
broach with, to
broaden out
brood on, over, about, upon
browbeat into (+ ing.), out of (+ ing.)
brown off
browse on, through
brush up, over, down, off, away
brutalize with
bubble up, over
buck up, off
buckle up, to, down
budget for
buffet with
bug out
bugger up, about, off, around
build up, out, in, on, over, into, upon, of
bulge out
bulk up
bulldoze into (+ ing.), out of (+ ing.)
bully into.(+ ing.), out of (+ ing.)
bum about, around, along
bump up, into, off, against
bunch up
bundle up, out, into, off, away
bung up, in, down
bunk up
buoy up
burden with
burn up, out, with, to, down, for, into, off
burrow into, through, out of
burst out, in, with, on, into, through, upon, forth
bury in
bust up, out
bustle up
busy with (+ ing.)
butt in
butter up
button up, through
buttress up
buy up, out, in, over, off, back
buzz off
cable to
cadge from, off
cage up
cajole into (+ ing.), out of (+ ing.)
calculate on (+ ing.), for (+ ing.), upon (+ ing.)
call up, out, in, to, on, over, down, about, for, into, off, away, back, upon, round, by, forward, forth
calm down
camp up, out
campaign for, against
cancel out
cannon into, off
canvass for
cap with
capitalize on

capture from
care about (+ ing.), for
career up, out, in, to, on, from, over, down, about, into, off, away, around, back, through, upon, round, out of, by, along, towards, forward, forth, across
carp at
carpet with
carry out, in, with, on, over, down, about, off, away, around, back, through, along, forward
carve up, out
cash up, in
cast up, out, in, on, over, down, about, off, away, around, back, upon, round
catch up, out, in, on, at
cater to, for
caution about (+ ing.), against (+ ing.)
cave in
cavil at
cease from
cede to
censure for
center in, on, round
centre in, on, round
certify to
chafe to
chaffer with, over
chagrin at (pass.) (+ ing.)
chain up, to, down
chalk up, out
chance on, upon
change up, in, with, to, over, down, for, off, back, round, out of
channel off
charge in, with (+ ing.), on, down, for (+ ing.), off, at, against
charm with
chart out
chase up, down, about, around
chastise for (+ ing.)
chat up
cheat into (+ ing.), at, out of (+ ing.)
check up, out, in, on, over, off, back, through
cheek up
cheer up, on, for
chew up, out, on, over, away, upon
chide for (+ ing.)
chime in
chip in, away
chisel in, out of
chivvy into (+ ing.), out of (+ ing.)
choke up, with, down, off, back, out of
choose from, for, as
chop up, down, about, into, off, away, around, round
chuck up, out, in, about, off, around, at, against
chuckle over, at
chug up, out, in, to, on, from, over, down, about, into, off, away, around, back, through, upon, round, out of, by, along, towards, forward, forth, across
churn up, out, to, into
circle over, about, around, round
circumscribe to
cite for
claim from, for, back, against
clamber up, over
clamour for, back, against
clamp up
clap up, out, in, to, on, into
clash with, on, over, against
clasp to
class with
clatter about
claw at
clean up, out, down, off, of
clear up, out, with (pass.), off, away, of
cleave to
click with, for
climb on, up, out, in, over, down, out of
cling to
clip out, on
clock up, out, in, on, off
clog up, with
close up, out, in, with, on, down, about, off, around, upon, round
closet with (pass.)
clothe in, with
cloud up, over
clown about, around
clue up, in
cluster around, round
clutch to, at
clutter up, with
coach for
coast along
coat with
coax into (+ ing.), out of (+ ing.)
cock up
coerce into (+ ing.), out of (+ ing.)
coexist with
cogitate over (+ ing.), upon (+ ing.)
cohabit with

coil up, down, around, round
coin to
coincide with
collaborate with, on
collate with
collect up, from, for
collide with
collocate with
colour up, in
comb out, for, through
combat with, for, against
combine with, against
come up, out, in, with, on, from, over, down, about, for, into, off, away, around, back, at, through, upon, round, out of, by, along, forward, forth, of, across
commence with, on, as
commend to, for
comment on, upon
commentate on
commiserate with
commission for
commit to (+ ing.), on, for
commune with
communicate with, on, about
commute in, to, from, for
compact of (pass.)
compare with, to
compass with (pass.), by (pass.)
compel from
compensate for
compete in, with, for, against
complain to, about (+ ing.), of
complicate with
compliment on
comply with
comport with
compose of (pass.)
compound with
compress in
comprise of (pass.)
compromise with
con into (+ ing.), out of (+ ing.)
concatenate to
conceal from
concede to
conceive of, as
concentrate on, at, upon
concern in, with, over, about
concert with
conclude with (+ ing.)
concur in, with
condemn to, for, as
condescend to (+ ing.)
condition to
condole with
conduce to (+ ing.), towards (+ ing.)
conduct out, away
confederate with
confer with, on, upon
confess to (+ ing.)
confide in, to
confine to (+ ing.)
confirm in
confiscate from
conflict with
conform with, to
confound with
confront with
confuse with, about (pass.) (+ ing.)
congratulate on (+ ing.), upon (+ ing.)
conjure up, with, away
connect up, with, to
connive with, at
conscript into
consecrate to (+ ing.)
consent to (+ ing.)
consider as
consign to
consist in (+ ing.), with, of (+ ing.)
console with
consort with
conspire with, against
constrain from
construct for, out of, of
construe with, as
consult with, about
consume with (+ ing.), away
contain for
contend with, over, for, against
content with (+ ing.)
contest with, for, against
continue with
contract out, in, with, for
contrast with
contribute to (+ ing.), towards
convalesce for
converge on
converse with, on, about
convert to, from, into
convey to

convict of (+ ing.)
convince of
convulse with (pass.)
cook up, out
cool out, down, off
coop up
cooperate with, on
co-opt to
cop to
cope with (+ ing.)
copulate with
copy out, down
cordon off
cork up
correlate with, to
correspond with, to, about
cosher up
cosset into (+ ing.), out of (+ ing.)
cost out
cotton to, on
couch in
cough up, out, down
count up, out, in, with, to, on (+ ing.), from, down, for, off, upon (+ ing.), against, as
counter with
couple up, with, on
course through
court into (+ ing.), out of (+ ing.)
covenant with, for
cover up, in, with, over, for, against
cow into (+ ing.), out of (+ ing.)
cower down, away, back, forward
cozen into (+ ing.), out of (+ ing.)
crack up
cram up, in, with, for
crane forward
crank up
crash out, in, with, down, about, around
crave for
crawl with, to
cream off
crease up
credit with (+ ing.), to, for (+ ing.)
creep up, out, in, to, on, from, over, down, about, into, off, away, around, back, through, upon, round, out of, by, along, towards, forward, forth, across
crib from
cringe from (+ ing.), before, to
cripple with (pass.)
criticize for (+ ing.)
crop up, out
cross out, in, with, over, off
crouch down
crow over
crowd out, in, with, into, round
crown with (pass.)
crumble up, away
crumple up
crunch up, down
crusade for, against
crush up, out, in, to, down, into
crust over
cry up, out, to, over, down, for, off
cuddle up
cue in
cull out, from
culminate in (+ ing.)
cup round
curb up, down
cure of
curl up
curse with (pass.)
curtail of
curtain off
cut up, out, in, with, to, from, down, about (pass.), for, into, off, away, back, at, through, along, across
dab out, on, off, at
dabble in, with, at
dally with, over
dam up
damp down, off
dampen off
dance up, out, in, to, on, from, over, down, about, into, off, away, around, back, through, upon, round, out of, by, along, towards, forward, forth, across with
dangle from, about, around, round
dart up, out, in, to, on, from, over, down, about, into, off, away, around, back, through, upon, round, out of, by, along, towards, forward, forth, across for, at
dash up, out, in, to, on, from, over, down, about, into, off, away, around, back, through, upon, round, out of, by, along, towards, forward, forth, across for
date from, back
daub up, with, on, over
dawdle over, away, along
dawn on, upon
deaden with (pass.)
deal out, in, with, at, by
debar from (+ ing.)
debate in, with, on, about, upon

debit with, to, against
decamp from
deceive in, with, into (+ ing.)
decide on (+ ing.), for, upon (+ ing.), against (+ ing.)
deck up, out, with
declaim against
declare to, on, for, off, against
decorate with, for (+ ing.)
decoy into (+ ing.)
decrease from
dedicate to
deduce from
deduct from
deed to, over
deface of
default on
defect to, from
defend with, from (+ ing.), against
define as
deflect from
defraud of
degenerate into (+ ing.)
delay in (+ ing.)
delegate to
delete from
deliberate on, over, about, upon
delight in (+ ing.), with (pass.), at (+ ing.), by (pass.)
deliver up, to, from, over, of
delude into (+ ing.), out of (+ ing.)
deluge with
delve into
demand from, of
demise to
demonstrate to
demote to, from
demur to, at
denounce to, for
denude of
deny to
depart from
depend on, upon
deplete of
depose to
deposit with, on
deprive of
depute to
deputize for, as
derive from
derogate from
descant on, upon
descend to (+ ing.), on, from, into, upon
describe to, as
design for
designate as
desist from (+ ing.)
despair of (+ ing.)
despatch to
despise for (+ ing.)
despoil of
destine for (pass.)
detach from
detail for, off
deter from (+ ing.)
determine on (+ ing.), upon (+ ing.)
detract from
develop from, into
deviate from
devil for
devolve on, upon
devote to (+ ing.)
devour with (pass.)
dice with, away
dictate to
die out, in, with, from, down, for, off, away, back, by, of
differ in, with, on, from, about
differentiate from
dig up, out, in, over, down, for, into, at
digress from
dilate on, upon
dilute with
dim up, out, down
din in, into
dine out, on, off, at
dip in, to, into
direct to
dirty up
disabuse of
disagree with, on, over, about
disappear to, from
disappoint in (+ ing.), with, at (pass.)
disapprove of (+ ing.)
disbar from
disbelieve in
disburden of
discern from
discharge from, into
disconnect with (pass.), from

discord with
discourage from (+ ing.)
discourse on, upon
discriminate from, against
discuss with
disembarrass from, of
disembark from
disencumber from
disengage from
disentangle from
disguise in, with, as
disgust with, at (+ ing.), by (pass.)
dish up, out
dislodge from
dismantle of
dismay at (+ ing.) (pass.)
dismiss from, for (+ ing.), as
dismount from
dispatch to
dispense with, to, from (+ ing.)
displease with, at (pass.)
dispose towards (pass.), of
dispossess of
dispute with, over, at, against
disqualify for (+ ing.)
dissatisfy with, at (pass.) (+ ing.)
dissent from, about
dissociate from
dissolve in, into
dissuade from (+ ing.)
distinguish from
distract from (+ ing.)
distrain upon
distribute to, over, round
divagate from
dive in, into, off
diverge to, from
divert with, to, from
divest of
divide out, with, on, from, into, off, by
divorce from
divulge to
do up, out, in, with (+ ing.), to, over, down, about, for, out of, by, as
dock off
dodder along
dole out
doll up
dolly out, in
dominate over
domineer over
donate to
doom to (pass.)
dope up, out
dose with
dot with, about, around
dote on, upon
double up, with, over, as
doubt of
dovetail into
doze off
draft out, to
drag up, out, in, on, down, into, off, away, at, through
dragoon into (+ ing.)
drain out, from, into, off, away, of
drape in, with, over, round
draw up, out, in, to, on, from, over, down, for, into, off, away, back, at (+ ing.), upon, forth
drawl out
dream about, away, of (+ ing.)
dredge up, for
drench in (pass.), with
dress up, out, down, for
drift out, in, off, away, along, towards
drill in, down, into
drink up, in, to, down, off, away
drive up, out, in, to, on, from, over, down, about, into, off, away, around, back, through, upon, round, out of, by, along, towards, forward, forth, across for, at
drivel on, about
drizzle down
drone out
drool over
droop down
drop up, out, in, to, on, over, down, into, off, away, around, back, through, round, by, across
drown out, in
drowse off, away
drum up, in, on, into, upon, out of
dry up, out, off
dub in
duck out, down, into
dull up
dump on, down
dun for
dust out, down, off
dwell in, on, at, upon
dwindle to, down, away
earmark for
earth up

ease up, off, round, of
eat up, out, in, into, off, away, through, out of
eavesdrop on
ebb away
echo with, back
economize on
edge out, with, away
edit out
educate in, for
educe from
egg on
eject from
eke out
elaborate on
elate with (pass.)
elect with, to, as
elevate to
eliminate from
elope with
emanate from
emancipate from
embark on, for, upon
embed in
embellish with
emblazon with
embody in
embosom in, with
embrace in
embroil in
emerge from
emigrate to, from
emit from, into
employ in (+ ing.), for, at
empty out, in
enamour with, of (pass.)
encase in
enchant with, by
enclose in, with
encompass with
encourage in
encroach on, upon
encrust with
encumber with
end up, in, with (+ ing.), off, by (+ ing.)
endear to
endorse with
endow with
endue with
enfold in
enforce on
engage in (+ ing.), with (pass.), to
engorge with
engraft in, into, upon
engrave with, on, upon
engross in (pass.)
engulf in (pass.)
enjoin on
enlarge on, upon
enlighten on
enlist in
enmesh in (pass.)
enquire about, for, into, of
enrich with
enrol in, for
ensconce in
enshrine in
ensnare into (+ ing.), out of (+ ing.)
ensue on, from
ensure from, against
entail on
entangle in (pass.), with
enter up, in, on, for, into, upon, by
entertain with, to
enthral(l) with (pass.), into (+ ing.), out of (+ ing.)
enthrone in
enthuse over, about
entice to, from, into, away
entitle to (pass.)
entomb in
entrap into (+ ing.)
entreat of
entrust with, to
entwine with, about, around, round
envelop in
equal in
equate with (pass.), to
equip with, for
erase from
err from
erupt into
escape to, from, out of
escort to, from
establish in
estimate at
estrange from (pass.)
etch in, away
evacuate to, from
evaluate at
evaporate down
even up, out, off

evict from
evolve from, out of
exact from
examine in, on
exasperate at (pass.), by
exceed in, by
excel in, at (+ ing.)
except from
excerpt from
exchange with, for
excite in
exclaim at, against
exclude from
excuse from (+ ing.), for (+ ing.)
exempt from (+ ing.)
exercise in (+ ing.)
exile from
exist by
exonerate from
exorcise from, out of
expand on, into
expatiate on, upon
expatriate from
expect from, of
expel from
expend in (+ ing.), on (+ ing.)
experiment in, with, on, upon
explain to, away
explode with
export to
expose to
expostulate with
expound to
express in, to, as
expropriate from
expunge from
expurgate from
extend to (+ ing.), over, across
extinguish by (pass.)
extort from, out of
extract from
extradite from
extricate from
extrude from
exult in (+ ing.), over, at (+ ing.)
eye with
face out, with, down, about, off, away, round, forward
fade up, out, in, down, for, into, away, back
fag out, away
fail in, of
faint with, from, away
fake up, out
fall out, in, to, on, from, over, down, about, for, into, off, away, around, back, at, through, upon, out of, by, towards
falter out
familiarize with (+ ing.)
fan out
fantasize about
fare forth
farm out
fashion to, on, from, upon, out of
fast from
fasten up, to, on, down, off, upon
father on, upon
fathom out
fatten up, out, on
favour with
fawn on, upon
fear for
feather out
feature in
feed up, in, with, to, on, into, off, back, upon
feel up, out, with, about, for, out of, towards
fence out, in, with, off
fend for, off
ferret out, about, around
ferry over, across
festoon with
fetch up, out, in, to, over, back, round
feud with
fiddle with, about, away
fidget with, about
fig up (pass.), out (pass.)
fight out, with, to, on, over, down, about, for, off, back, through, against
figure up, out, in, to, on
filch from
file out, down, for, away
fill up, out, in, with, away
film over
filter out, through
find out, in, for, against
fine down, for (+ ing.)
finish up (+ ing.), in, with (+ ing.), off
fire up, with, on, over, into, off, away, back, at, upon
firm up
fish up, out, in, for
fit up, out, in, with, to, on, for, into, round

fix up, with, on, over, for, upon
fizz up
fizzle out
flabbergast by (pass.)
flag down
flagellate for (+ ing.)
flake out
flame up, out, with
flank with, on, upon
flap about, away, around
flare up, out, back
flash up, out, on, about, around, back, at, through, upon, forward
flatten out, in
flatter on (+ ing.)
flavour with
fleck with
flee to, from, away
flesh up, out
flick over, off, away, through
flicker out
fling up, out, in, to, on, down, about, into, off, away, around, back, at
flip over, through
flirt with
flit about, through
float in, on, about, around, through, upon, round
flock in, to, into, round
flood out, in, with (pass.), into
flop down, about, into, around
flounce out, in
flounder about, around, through
flow out, in, with, to, from, over, into
fluff up, out
flunk out
flush up, out, with, from, off, away
fluster up (pass.)
flutter up, out, in, to, on, from, over, down, about, into, off, away, around, back, through, upon, round, out of, by, along, towards, forward, forth, across
fly up, out, in, to, on, from, over, down, about, into, off, away, around, back, through, upon, round, out of, by, along, towards, forward, forth, across
foam up, with, at
focus on
fold up, in, down, away, back
follow up, out, in, on, about, through, upon
fool with, about, into (+ ing.), away, around, out of
footle about
forbear from (+ ing.)
force out, on, from, down, into (+ ing.), upon
foreclose on
forgather with
forget about
forgive for (+ ing.)
fork up, out, over
form up, from, into
fortify with, against
forward to
foul up
found on, upon
frame up, in
freak out.
free from, of
freeze up, out, in, to, over, off
freshen up
fret on, over, about, into, upon
frighten from (+ ing.), into (+ ing.), off, away, out of (+ ing.)
fringe with (pass.)
frisk about
fritter away
frolic about
front to, on, upon, towards
frost up, over
froth up, with
frown on, down, at, upon
fry up
fuck up, about, off, around, round
fudge on
fulminate against
fumble with, for
fume at (+ ing.)
fur up
furbish up
furnish with, to
fuse with
fuss up, over, about, around
fuzz out
gabble out, on, off, away
gad about, around
gain in, on, over, upon
gallivant about, off, around
gallop up, out, in, to, on, from, over, down, about, into, off, away, around, back, through, upon, round, out of, by, along, towards, forward, forth, across
galvanize with
gamble on, away
gambol up, out, in, to, on, from, over, down, about,

into, off, away, around, back, through, upon, round, out of, by, along, towards, forward, forth, across with
game away
gang up
gape at
garb in
garner up, in
garnish with
gasp out, for, at
gather up, in, to, from, round
gaze out, on, about, at, upon, round
gear up, to, down
generalize from, about
generate from
get up, out, out of, into, on, over, off, through, in, to, from, down, about, for, away, away, around, back, at, round, by, along, across
gibe at
giggle over, at
ginger up
gird up, on, for
girdle about, around, round
give up (+ ing.), out, in, to, on, over, for, off, away, back, upon, round, forth
glance over, down, off, back, at, through, round
glare down, at
glass in, over
glaze in, over
gleam with
glean from
glide in, to, on, from, over, down, about, into, off, away, around, back, through, upon, round, out of, by, along, towards, forward, forth, across
glisten with
glitter with, over
gloat over
glory in (+ ing.)
gloss over
glow with
glower at
glue to, on, down
glut with
gnaw on, away, at
go up, out, in, to, on, with, from, over, down, about, into, off, away, around, back, through, upon, round, out of, by, along, towards, forward, forth, across at, against
goad in (+ ing.), on, out of (+ ing.)
gobble up, down
goggle at
goof up, off, around
goose up
gorge with, on
gossip about, of
gouge out
grab for, away, at
grace with
grade up, down
graduate in, with, from
graft in, on, upon
grant to
graph out
grapple with
grasp at
grass on
grate on
gravitate to, towards
graze on
greet with
grieve over, about, for
grin at
grind up, out, in, to, on, down, into, away
gripe about, at
groan with
groom for
grope about, for, around
ground in (pass.), on
group about, around, round
grouse about, at
grout in
grovel in, to
grow up, out, in, on, from, over, down, into, back, upon, out of
growl out
grub up, about, around
grumble over, about, at
guarantee for, against
guard from, against
guess at
gull into (+ ing.), out of (+ ing.)
gulp down, back
gum up, on, down
gun down
gurgle with
gush out, with, from, over, forth
gussy up
guzzle down
habituate to (+ ing.)
hack up, out, down, off, around
haggle with, over, about, for

hail from
hallo to
ham up
hammer out, in, on, down, into, at
hand up, out, in, to, over, down, off, back, round
hang up, out, with, on, from, over, down, about, off, around, back, upon, round, by
hanker for
happen to, on, upon
harden up, in, to (pass.) (+ ing.), off
hare off
hark at
harmonize with
harness up, to
harp on, about
hash up, out, over
hatch out
haul up, in, on, over, down
have up, out, in, with, to, on, over, down, about, for, off, away, around, back, at, upon, by, against
hawk about, round
haze over
head up, out, in, for, into, off, back, towards
heal up, over, of
heap up, with, on, upon
hear out, from, about, through, of
hearten up
heat up
heave up, in, to, on, about
hedge in, against
heel over, back
help up, out, in, to, on, over, down, into, off, back, along, forward
hem in, about, around, round
hesitate for
hew out, down
hide out, in, with, from, away
hinder from (+ ing.)
hinge on, upon
hint to, at
hire out
hiss off, at
hit up, out, in, back, at, upon, against
hitch up, to
hive off
hoard up
hoax into (+ ing.), out of (+ ing.)
hobble out, in, to, into, off, away, around, back, through, out of, along, forward, forth, across
hobnob with
hoist up
hoke up
hold up, out, in, with, to, on, over, down, for, off, back, at, out of, by, against, forth
hole up, out, in
hollow out
home in
honour with, for (+ ing.)
hoof out
hook up, on
hoot down, off
hop up, out, in, to, on, from, over, down, about, into, off, away, around, back, through, upon, round, out of, by, along, towards, forward, forth, across
hope in, for
horn in
horse about, around
hose down
hound out, down
house up
hover over, round
howl with, down
huddle up
hum with
humbug into (+ ing.), out of (+ ing.)
humiliate into (+ ing.), out of (+ ing.)
hump over
hunch up (pass.)
hunger for
hunker down
hunt up, out, over, down, for, through
hurl out, down, about, into, away, around, at
hurry up, out, in, on, down, into, off, away, back, along, forward
hurtle down, along
hush up
hustle on, into (+ ing.), out of (+ ing.)
hypnotize into (+ ing.), out of (+ ing.)
ice up, over
identify with
idle about, away, around
illuminate with
illustrate with
imbue with (pass.)
immerse in
immigrate into
immunize against
impale on
impart to
impeach for (+ ing.)

impel to
impend over
impinge on, upon
implant in, into
implicate in
import from, into
impose on, upon
imprecate on, upon
impregnate with
impress with, on, upon, by
imprint with, on
imprison in
improve in, on, upon
impute to
incapacitate from (+ ing.), for
incarcerate in
incite to
incline to, towards, forward
include out, in
incorporate in, into
increase in, to, for
inculcate in
indemnify for, against
indent for
indict for (+ ing.)
indispose for (+ ing.), towards
indoctrinate with
induce in
indulge in (+ ing.)
infatuate with (pass.)
infect with
infer from
infest with
infiltrate into, through
inflate with
inflict on
inform on, against, of
infringe on, upon
infuse with, into
ingraft into, upon
ingratiate with
inhere in
inherit from
inhibit for (+ ing.)
initiate into
inject with, into
ink in, over
inlay with
innovate in
inoculate with, against
inquire about, for, into, of
inscribe with
insert in, into
inset in, into
insinuate into
insist on (+ ing.), upon
inspire in, with, into
install in
instil in, with, into
institute to, into, against
instruct in, of
insulate from
insure with, for, against
integrate with, into
intend in, for, as
interact with
interbreed with
intercede with, for
interchange with
interdict from (+ ing.)
interest in (pass.) (+ ing.)
interfere in, with
interlace with
interlard with
interleave with
interlink with
intermarry with
intermingle with
intern in
interpose in
interpret as
interrogate about
intersect with, by
intersperse with
intervene in
interview about
interweave with
intimate to
intimidate into (+ ing.), out of (+ ing.)
intoxicate with (pass.)
intrigue with, against
introduce to, into
intrude on, into, upon
intrust with, to
inundate with (pass.)
inure to, from
invalid out
inveigh against
inveigle into (+ ing.), out of (+ ing.)
invest in, with

invite out, in, to, over, round
invoke on, for, upon
involve in (pass.) (+ ing.), with (pass.)
iron out
irrigate with
isolate from
issue with, to, from, out of, forth, as
itch for
jab out, about, into
jack up
jam up, in, with, on, into
jangle on, upon
jar with, on, against
jaw at
jazz up
jeer at
jerk up, out, off, away
jest about, at
jib at (+ ing.)
jigger up
job out
jockey for, for, into (+ ing.), out of (+ ing.)
jog up, out, in, to, on, from, over, down, about, into, off, away, around, back, through, upon, round, out of, by, along, towards, forward, forth, across
join up, in (+ ing.), with, to, on
joke with, about, at
jolly along
jostle with, for
jot down
judge from, by
juggle with
jumble up
jump up, out, in, to, on, from, over, down, about, into, off, away, around, back, through, upon, round, out of, by, along, towards, forward, forth, across with, for, at
justify in (pass.) (+ ing.), by (+ ing.)
jut out
keel over
keep up, out, in, with, to, on, from (+ ing.), down, about, for, off, away, around, back, at, out of, by
kick up, out, in, on, over, down, about, off, away, around, back, at, against
kid up, on, around
kill off
kindle with
kip out, down
kiss off, away
kit up, out
kneel to, down
knit up
knock up, out, in, on, over, down, about, for, into, off, away, around, back, at, through, out of, against
know to (pass.), from, about, for, by, of, as
knuckle down
kowtow to
label with, as
labour over (+ ing.), for, at (+ ing.)
lace up, in, with, into
lack in, for
lade with
ladle out, for, out of
lag with
lam out, in
lament over, for
land up, in, with, on, upon
languish in, over, for, of
lap up, in, on, over, about, around, round, against
lapse for, into
lard with
lark about, around
lash up, out, to, down, about, into, at, round, against
last out, for
latch on
lather up
laugh over, down, about, into (+ ing.), off, away, at, out of (+ ing.)
launch out, on, into, upon, against, forth
lavish on
lay up, out, in, with, on, over, down, about, for, into, off, away, back, at, by, against, along
laze away
leach out, from, about, out of
lead up, out, in, with, to, on, down, into, off, away, back, by, against, forth
leaf out, through
league with, against
leak out, in, to, away
lean out, to, on, over, down, back, against, towards, forward
leap up, out, in, into, at, out of, forward
learn up, from, about, off, by, of
lease out, back
leave up, out, in, with, to, on, over, down, about, for, off, around, at, out of
leaven with
lecture to, on, about, for, at
leer at
legislate for, against

lend out, to
lengthen out
let up, out, in, on, down, into, off, through, by, of
level up, out, with, down, off, at, against
lever up, out, against
levy on, upon
liaise with
liberate from
license for (pass.)
lick up, off
lie up, out, in, with, to, on, over, down, about, off, back, at, through, by, along
lie to, about
lift up, from, down, off
light up, with
liken with, to
limber up
limit to (pass.) (+ ing.)
limp along
line up, with
linger on, over, about, around
link up, with, to
lisp out
listen out, in, to (+ ing.), for
litter up, down, about, around
live up, out, in, with, to, on, over, down, for, off, at, out of, by
liven up
load up, with, down, into
loaf about, around
loan to
lob at, along
lobby for, through, against
lock up, out, in, on, into, away
lodge in, with, at, against
log up, out, on, off
loiter in, over, about, away, around
loll out, about, around, back
long for
look up, out, in, to, on, over, down, about, for, into, away, around, back, at, through, upon, round, towards
loom up
loose from, off
loosen up
lop off, away
lope up, out, in, to, on, from, over, down, about, into, off, away, around, back, through, upon, round, out of, by, along, towards, forward, forth, across
lose out, in, to, on, over, at, by
lounge about, away, around, against, along
lour on, at, upon
louse up
lower on, at, upon
luff up
lug up, out, in, to, on, from, over, down, about, into, off, away, around, back, through, upon, round, out of, by, along, towards, forward, forth, across
lull into (+ ing.), out of (+ ing.)
lumber along
lump along
lunch out, in, off
lunge at
lure on, into (+ ing.), away, out of (+ ing.)
lurk about, around
lust for
luxuriate in
madden with (pass.)
mail to, from
maintain at
major in
make up, out, in, with, on, from, over, down, for, into, off, away, at, round, towards, of (pass.)
man with
manage with
mangle up
manoeuvre into, around, through, out of, across
mantle with, over
map up, out
march in, to, off, away, out of, by, along, towards
mark up, out, in, with, down, for, off
marry up, with (pass.), to (pass.), into, off (pass.)
marshal out, in
marvel at
mash up
mask out, with
masquerade as
match up, with, against
mate with
matter to
maul about, around
mean to, for, by (+ ing.)
measure up, out, with, off, against
meddle in, with
mediate in, between
meditate on, upon
meet up, with
melt in, down, into, away
mention in, to
merge in, with, into
mesh with

mesmerize into (+ ing.), out of (+ ing.)
mess up, about, around
metamorphose to, into
mete out
migrate to, from
militate against
mill about, around
mind out
mine out
mingle in, with
minister to
miscalculate about
misconceive of
miss out
mist up, over
mistake about (pass.), for
mix up, in, with
moan about
mock up, at
model on, upon
modulate to
moisten with
monkey with, about, around
mooch about
moon about, away, around
mop up, down
mope about, away, around
moralize on, over, about
motion to, away
mould from, out of
mount up, to, on
mourn over, for
move up, out, in, to, on, from, over, down, about, into, off, away, around, back, through, upon, round, out of, by, along, towards, forward, forth, across
mow down
muck up, out, in, about, around
muddle up, on, about, around, through, along
muddy up
muffle up
mug up
mulct of
mull over
multiply by
murmur at, against
muscle in
muse on, over, about, upon
muster up
mutiny against
nag at
nail up, to, on, down, back
name to, as
narrow down
navigate up, out, in, to, on, from, over, down, about, into, off, away, around, back, through, upon, round, out of, by, along, towards, forward, forth, across
negotiate with, over, about, for
neighbour with
nerve for
nest in
nestle up, down
nettle at (pass.)
nibble at
nick up, in
niggle over
nip in, off, at
nod to, off
noise about, around
nominate to, for
nose out, about, into, around, round
notch up
note for (pass.) (+ ing.)
notify to, of
nourish with
numb with (pass.)
number with, off
nurse through, along
nurture on
nuzzle up, against
object to (+ ing.)
oblige with, to (pass.), by
obscure from
observe to, on, upon
obsess with (pass.)
obtain from, for
obtrude on, upon
occupy in (+ ing.), with
occur to
offend with, against
offer up, to, for
officiate at, as
ogle at
omit from
ooze out, away
open up, out, to, on, into, off
operate on, from, against
oppose to (pass.) (+ ing.)
opt out, in, for
order up, out, in, from, off, around, at

originate in, with, from
oscillate about, around
osculate with
oust from
overburden with
overcome with (pass.), by (pass.)
overcrowd with (pass.)
overflow with
overlay with
overpass in
overpower with (pass.)
overrun with (pass.)
overstock with
overwhelm with (pass.), by (pass.)
owe to
own up, to
pace up, out, in, to, on, from, over, down, about, into, off, away, around, back, through, upon, round, out of, by, along, towards, forward, forth, across
pack up, out, in, with, down, into, off, away
pad up, out, in, to, on, from, over, down, about, into, off, away, around, back, through, upon, round, out of, by, along, towards, forward, forth, across with
page up
paint out, in, on, over, upon
pair up, with, off
pal up
pale at
pall on, upon
palm off
palter with
pan out, in, for, off
pander to
pant out, for
paper over
parachute down
parcel up, out
parch up, with
pardon for (+ ing.)
pare down, off
parley with
part with, from, over
partake in, of
participate in, with
partition off
partner off
pass up, out, in, on, from, over, down, for, into, off, away, back, through, round, out of, by, along, forward
paste up
pat on, down
patch up
patter about, around
pattern with, on, upon
pause on, upon
pave with
paw about, around
pay up, out, in, with, to, over, down, for, into, off, away, back, by
peach on
peal out
peck up, at
peek at
peel off, away, back
peep out, over, into, at, through
peer out, in, about, around, at, through
peg out, down
pelt out, with, down, at, along
pen up, in
penalize for (+ ing.)
penetrate with, to, into, through
pension off
people with
pep up
pepper with
perch on
percolate through
perforate into
perform on
perish in, with, from, by
perk up
permeate with, through
permit up, out, in, into, through, of
persevere in (+ ing.), with, at
persist in (+ ing.), with
persuade of
pertain to
pervade with
pester with
peter out
petition for
phase out, in
philander with
philosophize about
phone up, in, for
pick up, in, on, from, off, away, at
picture to
piece up
pierce through
pig out
pile up, out, in, with, on, into, off, upon

pilfer from
pillow on
pilot out, in, into, through
pimp for
pin up, to, on, down, back, against
pinch out, off, back
pine over, for, away
pinion to
pink out
pipe up, in, with, down, into, away
pique on
piss about, off, around
pit with (pass.), against
pitch up, out, in, on, into, upon, forward
pivot on
place out, in, with, to, on, down, back, at
plague with
plan out, on, for
plane down, off, away
plank out, on, down
plant out, in, with, on
plaster up, with, on, over, down
plate with
play up, out, in, with, to, on, over, down, about, for, off, around, back, at (+ ing.), through, upon, round, by, against, along, forward, as
plead with, for, against
pledge to
plod up, out, in, to, on, from, over, down, about, into, off, away, around, back, through, upon, round, out of, by, along, towards, forward, forth, across
plot out, with, on, against
plough up, out, in, on, into, back, through
plow up, out, in, on, into, back, through
pluck up, out, from, off
plug up, in
plump up, out, down, for, against
plunge in, down, into
plunk down, for
ply with, across
poach on, for
point up, out, out, to, down, off, at, towards
poise on, over
poison against
poke up, out, in, about, into, around, at, through, round, along, forward
polish up, off
pollute with
ponder on, over, upon
pop up, out, in, on, over, down, into, off, back, round, along, across
pore on, over, upon
portion out, to
pose for, as
posh up
possess by (pass.), of (pass.)
post up, to, on, from, away
postpone to
postulate for
pot up, at
potter about, around
pounce on, upon
pound up, out, in, on, down, into, at, along
pour out, in, with, on, over, down, into, off, away, back, through, along, forth, across
powder with
power with (pass.), by (pass.)
powwow about
practise on, upon
praise up, for (+ ing.)
prance about, around
prate about
prattle about, away
pray to, over, for
preach to, at, against
precipitate into
preclude from (pass.) (+ ing.)
predestinate to
predestine to (pass.), for (pass.)
predispose to (pass.), towards (pass.)
predominate over
preface with, by
prefer to, against
prefix to
prejudice against (pass.) (+ ing.)
prelude to
prepare for
preponderate over
prepossess with, against
presage from
prescribe for
present with, to, at
preserve from, for
preside over, at
press up, out, in, to, on, down, for, into, upon, round, against, towards, forward
pressure into (+ ing.), out of (+ ing.)
presume on, upon
pretend to

prevail on, over, upon, against
prevent from (+ ing.)
prey on, upon
price up, out
prick up, out, on, down, off
pride on (+ ing.)
prim up
prime with (pass.)
primp up
prink up
print out, in, off
prise up, for, off, out of
prize from, off, out of
probe into
proceed with, to, from, about
procure from, for
prod with, into (+ ing.), at, out of (+ ing.)
produce from
profit from (+ ing.), by (+ ing.)
progress in, with, to
promise to
promote to
pronounce on, for, upon, against
prop up, against
propose to
prosecute for (+ ing.)
prospect for
prosper from
protect from, against
protest against (+ ing.)
protrude from
prove to
provide with, for, against
provision with
provoke into (+ ing.)
prowl about, around, round
prune from, down, away, of
pry from, about, into, off, out of
psych up, out
pucker up
puddle about
puff up, out, in, to, on, from, over, down, about, into, off, away, around, back, through, upon, round, out of, by, along, towards, forward, forth, across with
pull up, out, in, to, on, over, down, about, for, into, off, away, around, back, at, through, round, out of, by, along, towards
pulse through
pump up, out, in, into, through
punch up, out, in, on, down
punctuate with
punish with, for (+ ing.)
purge out, from, off, away, of
purify of
purse up
push up, out, in, to, on, from, over, down, about, for, into, off, away, around, back, at, through, upon, round, by, against, along, towards, forward
put up, out, in, to, on, over, down, into, off (+ ing.), away, back, at, through, upon, out of, by, against, along, forward, forth, across, across, as
putter out, about, around, along
putty up
puzzle out, over
quail at
quake with
qualify for, as
quarrel with, over, about, for (+ ing.)
query with
question about
queue up
quibble over, about
quicken up
quiet down
quieten down
quit of
quiver with
quote from
rabbit on
race up, out, in, to, on, from, over, down, about, into, off, away, around, back, through, upon, round, out of, by, along, towards, forward, forth, across with, for, against
rack up, with (pass.)
racket about
radiate from
raft down
rage out, at, through, against
rail in, on, off, at, against
railroad into (+ ing.), through (pass.), out of (+ ing.)
rain in, on, down, off (pass.), upon
raise up, with, to, from
rake up, out, in, over, about, off, around, through, round
rally on, from, round
ram down, into, through
ramble on
ramp about, around
rampage about, around, along
range in, with, to, from, over, through, against

rank with, as
rankle with
ransack for
rap out, with, on, over, at
rasp out
rat on
rate up, with, for (+ ing.), at, as
ration out
rattle up, out, in, to, on, from, over, down, about, into, off, away, around, back, through, upon, round, out of, by, along, towards, forward, forth, across
rave over, about, at, against
ravel out
raze out
reach up, out, to, down, for, into, back, towards, forward
react to, on, upon, against
read up, out, in, to, from, over, about, for, into, around, back, through, round, out of, of, as
realize on, from
ream out
reap from
reapply upon
rear up
reason with, from, into (+ ing.), out of (+ ing.), against
reassure on, about
rebel at (+ ing.), against
rebound on, from, upon
rebuke for (+ ing.)
recall to
recast in
recede from
receive from, into, as
recite to
reckon up, in, with, to, on (+ ing.), from, for, upon, as
reclaim from
recline on
recognize from, by, as
recoil on, for (+ ing.), upon
recommend to
recompense for (+ ing.)
reconcile with, to
reconstruct from
record on, from
recount to
recoup for
recover from
recriminate against
recruit from, into (+ ing.)
recuperate from
recur to
redeem from
redirect to
redound to, on
reduce in, to (+ ing.), from, by
reef in
reek with, of
reel up, out, in, from, off, back
reeve to, through
refer to, back
refill with
refine on, upon
reflect in (pass.), on, upon
refrain from (+ ing.)
refresh with
refuel with
refund to
refuse to
regain from
regale with
regard with, as
register in, with, on, for, as
regress to
regulate by
reign over
reimburse to, for
rein up, in, back
reinforce with
reinstate in
reintegrate in
rejoice in (+ ing.), over, at
rejoin with, to
relapse in
relate to
relax in, into
relay out, to
release to, from
relegate to
relieve from, of
rely on, upon
remain in, on, down, off, away, at, of
remand to, for
remark on, upon
remember in, to, as
remind of (+ ing.)
reminisce with, about
remit to
remonstrate with, about

remove from
remunerate for
rend in, to, from
render up, to, down, for, into
renege on
rent out, to, at
repay with, for, by
repel from
repent of
repine at, against
replace with, by
replate with
replenish with
reply to, for
report out, to, on, for, back, upon
repose on, upon
reprehend for (+ ing.)
represent to, as
reprimand for (+ ing.)
reprint in, from
reproach with (+ ing.), for (+ ing.)
reproduce in, from
reprove for (+ ing.)
repulse from
repute as
request from, of
require of
requisition from, for, as
requite with
rescue from
research on, into
reserve for
resettle to
reside in
resign to (pass.) (+ ing.), from
resolve on, into
resort to (+ ing.)
resound in, with, through
respect for
respond to
rest up, in, with, on, from, upon, against
restitute to
restock with
restore to
restrain from (+ ing.)
restrict to (pass.) (+ ing.)
result in (+ ing.), from
retail to, for, at
retain on, over, upon
retaliate on, upon, against
retire in, to, on, from
retreat to, from
retrieve from
retroact against
return to, from, for
reunite with
rev up
reveal to
revel in (+ ing.)
revenge on, upon
revert to (+ ing.)
revile at, against
revolt against (+ ing.)
revolve about, around
reward for (+ ing.)
rhapsodize over, about
rhyme with
rid of
riddle with
ride up, out, in, to, on, from, over, down, about, into, off, away, around, back, through, upon, round, out of, by, along, towards, forward, forth, across
rifle through
rig up, out
ring up, out, in, with, about, for, off, back, through, round
ring about, around
rinse out, down
rip up, out, in, to, from, down, into, off, away, across
rise up, in, from
risk on
rivalize with
rivet to, on
roam about, around
roar out, with, down, at
rob of
rock about, around
rocket in
roll up, out, in, on, over, down, about, off, away, around, back, round, by, along
romp about, through
roof in, over
room with
root up, out, in, to, about, for
rope up, in, into, off
rot out, off, away
rough up, out, in
round up, out, in, on, down, into, off, upon
rouse to, from
rout out

route through, by
rove in, over
row up, out, in, to, on, from, over, down, about, into, off, away, around, back, through, upon, round, out of, by, along, towards, forward, forth, across
rub up, out, in, on, down, into, off, away, through, against, along
ruck up
ruckle up
ruffle up
rule out, on, over, off, against
rumble off
ruminate on, over, about, upon
rummage up, out, about, for, around
run up, out, in, to, on, from, over, down, about, into, off, away, around, back, through, upon, round, out of, by, along, towards, forward, forth, across with, for, against
rush up, out, in, to, on, from, over, down, about, into, off, away, around, back, through, upon, round, out of, by, along, towards, forward, forth, across, into (+ ing.)
rust in, away
rustle up
sacrifice to
saddle up, with, on, upon
safeguard against
sag down
sail up, out, in, to, on, from, over, down, about, into, off, away, around, back, through, upon, round, out of, by, along, towards, forward, forth, across
sally out, forth
salt out, with, down, away·
salute with
salvage from
sand down
satiate with
satisfy with (pass.), of
saturate with (pass.)
saunter out, to, into, back, out of, along, across
save up, from, for
savour of
saw up, down, into, off, through
say out, to, on, over, about, for, against, of
scab over
scale up, to, down
scamper up, out, in, to, on, from, over, down, about, into, off, away, around, back, through, upon, round, out of, by, along, towards, forward, forth, across
scandalize by (pass.)
scar over
scare into (+ ing.), off, away, out of (+ ing.)
scatter with, about, around, round
scent out
schedule as
scheme for
school in, to
scoff at
scold for (+ ing.)
scoop up, out
scorch along
score up, out, over, for, off
scour out, about, for, off, away, around
scout out, about, around
scowl at
scrabble about
scramble up, out, in, to, on, from, over, down, about, into, off, away, around, back, through, upon, round, out of, by, along, towards, forward, forth, across for
scrape up, out, in, off, away, through, by
scratch up, out, from, about, away, along
scream out, with, down, for
screen out, from, off
screw up, to, on, down, out of
scribble down, away
scroll up, down, through
scrounge on
scrub up, out, down, away, round
scud up, out, in, to, on, from, over, down, about, into, off, away, around, back, through, upon, round, out of, by, along, towards, forward, forth, across
scuff up
scuffle with, through
sculpture out of
scurry up, out, in, to, on, from, over, down, about, into, off, away, around, back, through, upon, round, out of, by, along, towards, forward, forth, across
scuttle up, out, in, to, on, from, over, down, about, into, off, away, around, back, through, upon, round, out of, by, along, towards, forward, forth, across
seal up, off
seam up, with (pass.)
search out, for, through
season with
seat on
secede from
seclude from (pass.)

second to (pass.)
section off
secure from, against
seduce from, into (+ ing.), out of (+ ing.)
see up, out, in, to, over, about, into, off, around, back, through, round, against, across, as
seek out, from, for, into
seep in, away, through
seethe with
segregate from, against (pass.)
seize up, with (pass.), on, upon
select from, for, as (pass.)
sell up, out, to, on, down, for, at
send up, out, in, to, on, from, over, down, about, for, into, off, away, around, back, round, along, forward, forth, across
sentence to
separate up, out, from, into, off
serve up, out, in, with, to, on, for, round, as
set up, out, in, with (pass.), to, on, over, down, about (+ ing.), for, into, off, back, at, through, upon, by, against, along, forth, across
settle up, in, with, to, on, down, upon
sew up
shackle with (pass.)
shade in, from, into
shake up, out, with, down, off, out of
shamble along
shame into (+ ing.), out of (+ ing.)
shanghai into (+ ing.)
shape up, to, into
share out, in, with
shave off
shear off, away, of (pass.)
sheathe with
shed on, over, upon
sheer off
sheet in, down
shell out
shelter from
shepherd out, in, on, into, around, out of
shield from (+ ing.), against (+ ing.)
shift to, from
shin up, down
shine out, with, on, over, at, through, upon
ship out, off
shiver with
shock into (+ ing.), out of (+ ing.)
shoe with (pass.)
shoo off, away
shoot up, out, in, with (pass.), to, from, down, for, into, off, away, at, through
shop on, around, round
shore up
shoulder out, in, into, out of
shout out, down, about, for, at
shove up, out, in, to, on, on, over, down, about, into, away, around, back, at, by, against, along, towards, forward
shovel in, down, into
show up, out, in, to, over, down, into, off, around, through, round, out of
shower with, on, upon
shriek out, with
shrink up, from (+ ing.), back
shrivel up
shroud in
shrug off
shuck off
shudder with, at
shuffle up, out, in, to, on, from, over, down, about, into, off, away, around, back, through, upon, round, out of, by, along, towards, forward, forth, across
shut up, out, in, to, on, down, off, upon, of (pass.)
shy at
sick up
sicken for, at, of (+ ing.)
side with, against
sidle up, out, in, to, on, from, over, down, about, into, off, away, around, back, through, upon, round, out of, by, along, towards, forward, forth, across
sieve out, through
sift out, through
sigh over, about, for, away
sign up, out, in, on, over, for, off, away
signal to
silhouette against (pass.)
silt up
simmer with, down
sin against
sing up, out, with, to, away, along
single out
sink in, to, down, into, back
siphon on
sit up, out, in, to, on, down, about, for, around, back, at, through, upon, by
size up
skate over, around, round
sketch out, in
skim over, off, through

skimp for
skin over, through
skip up, out, in, to, on, from, over, down, about, into, off, away, around, back, through, upon, round, out of, by, along, towards, forward, forth, across
skirmish with
skirt around, round, along
slack about, off
slacken up, off, away
slam in, to, on, down
slant against, towards
slap up, on, down
slave over, at
sledge up, out, in, to, on, from, over, down, about, into, off, away, around, back, through, upon, round, out of, by, along, towards, forward, forth, across
sleep out, in, with, on, over, off, away, around, through
sleuth around
slew around, round
slice up, in, on, through
slick up, down
slide up, out, in, to, on, from, over, down, about, into, off, away, around, back, through, upon, round, out of, by, along, towards, forward, forth, across
slim down
sling up, out, at
slink off, away
slip up, out, in, on, from, over, down, into, off, away, back, through, out of, by
slit up
slither up, out, in, to, on, from, over, down, about, into, off, away, around, back, through, upon, round, out of, by, along, towards, forward, forth, across
slobber over
slog up, out, in, to, on, from, over, down, about, into, off, away, around, back, through, upon, round, out of, by, along, towards, forward, forth, across
slop out, over, about, around
slope up, down, off, towards
slosh on, about, around
slot in
slouch up, out, in, to, on, from, over, down, about, into, off, away, around, back, through, upon, round, out of, by, along, towards, forward, forth, across
slow up, down
sluice out, down
slump over, down
slur over
smack of
smack down (pass.)
smarm up, over, down
smart for
smarten up
smash up, in, against
smear with, on
smell up, out, at, of
smile on, at, upon
smite with (pass.), on, upon
smoke up, out
smooth out, in, on, over, down, away, back
smother up, in, with
smoulder with
smuggle out, in, through
snap up, out, on, off, back, at, out of
snarl up, at
snatch up, from, away, at, out of
sneak up, out, in, to, on, from, over, down, about, into, off, away, around, back, through, upon, round, out of, by, along, towards, forward, forth, across
sneer at
sneeze at
sniff up, out, at
snip off
snipe at
snitch on
snoop into, around
snort at
snow up, in (pass.), off
snuff out
snuggle down
soak up, out, in, with, into, off, through
soap down
sob out
sober up, down
sock in (pass.), away
sod up, over, off
soften up
soldier on
solicit for
soot up
sop up
sorrow over, about, at
sort out
sound out, off
soup up
souse in, with
sow with
space out, off
spade up

spangle with
spank along
spar with
spare for
spark off
sparkle with
spatter up, with, on, over
spawn from
speak up, out, to, on, from, about, for, upon, against, of
spear up
specialize in
speculate in, on, about
speed up, along
spell out, for
spend up (pass.), in, on, for
spew up, out, forth
spice up, with
spill out, over
spin out, off, round, along
spiral up, down
spirit off, away
spit up, out, in, on, back, at, upon
splash up, with, on, over, down, about, around
splay out
splinter off
split up, on, into, off
splotch with
splutter out
spoil for
sponge up, out, on, from, down, off, away
spoon up, out
sport with
spout from, off
sprawl out, about
spray with, on
spread out, to, on, over, about, around
spring up, out, to, on, from, back, at, upon
sprinkle with
sprint up, out, in, to, on, from, over, down, about, into, off, away, around, back, through, upon, round, out of, by, along, towards, forward, forth, across
sprout up
spruce up
spur on
spurt out
sputter out
spy out, on, into, upon
squabble over, about
squander on, away, upon
square up, with, off, away, round
squash up, in
squat down
squeak out, through, by
squeeze up, out, in, from, through, by
squint at
squirm with, out of
squirrel away
squirt out, in
stab in, at
stack up
stagger up, out, in, to, on, from, over, down, about, into, off, away, around, back, through, upon, round, out of, by, along, towards, forward, forth, across
stain with (pass.)
stake out, on, on, upon
stalk out, in, into, out of, along
stammer out
stamp out, with, on, upon, as
stampede in, for, towards
stand up, out, in, to, on, over, down, about, for, off, away, around, back, at, upon, out of, by, against, along, across, as
star in
starch up
stare out, down, at
start up, out, in, with, on, from, over, for, off, away, back, out of, as (+ ing.)
startle out of
starve out, into (+ ing.), for, out of (+ ing.)
stash away
station in, on, at
stave up, in
stay up, out, in, to, on, over, down, for, off, away, back, at, out of, by
steady down
steal from, over, away
steam up, out, over, into, off
steel for, against
steep in
steer in, for, through, towards
stem from (+ ing.)
step up, out, in, on, over, down, into, off, back, upon, forward
stew in
stick up, out, in, with, to (+ ing.), on, down, about, for (pass.), into, around, at, by
stiffen up
stimulate in, to
sting in (+ ing.), with (+ ing.)

stink up, out, with, of
stint of
stipulate for
stir up, in, to, about, around
stitch up
stock up, with
stoke up
stomp up, out, in, to, on, from, over, down, about, into, off, away, around, back, through, upon, round, out of, by, along, towards, forward, forth, across
stooge about, around
stoop to, down
stop up, in, with, to, on, from (+ ing.), over, down, for, off, off, away, at, out of, by
store up, in, away
storm out, in, at
stow with, into, away
straggle up, out, in, to, on, from, over, down, about, into, off, away, around, back, through, upon, round, out of, by, along, towards, forward, forth, across
straighten up, out
strain on, off, away, at, through
strand on
strap in, on, down
stray up, out, in, to, on, from, over, down, about, into, off, away, around, back, through, upon, round, out of, by, along, towards, forward, forth, across
streak up, out, in, to, on, from, over, down, about, into, off, away, around, back, through, upon, round, out of; by, along, towards, forward, forth, across with
stream up, out, in, to, on, from, over, down, about, into, off, away, around, back, through, upon, round, out of, by, along, towards, forward, forth, across
stretch out, away, forth
strew with (pass.), on, over
stride up, out, in, to, on, from, over, down, about, into, off, away, around, back, through, upon, round, out of, by, along, towards, forward, forth, across
strike up, out, in, on, over, down, for, into, off, back, at, through, upon, as (+ ing.)
string up, with, along
strip from, down, off, away, of
strive with, for, against
stripe from, over, against, towards
stroll up, out, in, to, on, from, over, down, about, into, off, away, around, back, through, upon, round, out of, by, along, towards, forward, forth, across
struggle up, out, in, to, on, from, over, down, about, into, off, away, around, back, through, upon, round, out of, by, along, towards, forward, forth, across for, against
strum on
strut up, out, in, to, on, from, over, down, about, into, off, away, around, back, through, upon, round, out of, by, along, towards, forward, forth, across
stub up, out
stud with (pass.)
study for
stuff up, in, with, down
stumble up, out, in, to, on, from, over, down, about, into, off, away, around, back, through, upon, round, out of, by, along, towards, forward, forth, across
stump up, out, in, to, on, from, over, down, about, into, off, away, around, back, through, upon, round, out of, by, along, towards, forward, forth, across
stupefy with (pass.)
stutter out
subdivide into
subject to
sublet to
submerge in
submit to
subordinate to
subscribe to
subside in
subsist in, on
substitute for
subtract from
succeed in (+ ing.), to, at
succumb to
suck up, down, at
sue to, for
suffer from, for
suffice for
suffix to
suffuse with (pass.)
suggest to
suit up, with, to, for
sum up
summon up, to
sunder from
superabound in, with
superimpose on
superpose on, upon
supervene on
supplement by
supply with, to, from
surcharge with
surface with
surfeit with
surge up, out, in

surmount with (pass.)
surpass in
surprise in (+ ing.), with, at, out of (+ ing.)
surrender to
surround with
suspect of (+ ing.)
suspend from
swab out, down
swaddle with
swagger up, out, in, to, on, from, over, down, about, into, off, away, around, back, through, upon, round, out of, by, along, towards, forward, forth, across
swallow up, down
swamp with (pass.)
swank about
swap with, over, for, around, round
swarm up, with, over, through, round
swathe in
sway up, out, in, to, on, from, over, down, about, into, off, away, around, back, through, upon, round, out of, by, along, towards, forward, forth, across
swear out, in, on, for, off, at, upon, by
sweat out, for, off
sweep up, out, in, to, on, from, over, down, about, into, off, away, around, back, through, upon, round, out of, by, along, towards, forward, forth, across
swell up, out, with
swerve from
swig off, at
swill out, down
swim up, out, in, to, on, from, over, down, about, into, off, away, around, back, through, upon, round, out of, by, along, towards, forward, forth, across
swindle out of
swing up, out, in, to, on, from, over, down, about, into, off, away, around, back, through, upon, round, out of, by, along, towards, forward, forth, across
swipe at
swirl up, out, in, to, on, from, over, down, about, into, off, away, around, back, through, upon, round, out of, by, along, towards, forward, forth, across
swish off, through
switch out, on, from, over, off, back
swivel round
swoop on, upon
swot up, for
sympathize with
tack to, on, down, about
tackle on, over, about
tag out, on, along
tail on, off, away, back
tailor to
taint with (pass.)
take up (+ ing.), out, in, to (+ ing.), on, from, over, down, about, for, into, off, away, around, back, at, through, upon, round, out of, by, against, along, across, as
talk up, out, in (+ ing.), to, on, on, over, down, about, for, away, around, back, at, through, upon, round, out of (+ ing.), of
tally with
tamp down
tamper with
tangle up (pass.), with
tank up
tap out, in, on, down, for, off, at
taper off
tart up
taste of
tax with (+ ing.)
taxi up, down, along
team up
tear up, out, in, to, from, down, about, into, off, away, around, at, along, across
tease out
tee up, off
teem in, with
telegraph to
telephone in, to
telescope into
tell with, to, on, from, over, about, off, by, against, of
temper against
temporize with
tempt in (+ ing.), to, from, out of (+ ing.)
tend towards
tender for
tense up, for
terminate in, at
terrify into (+ ing.), out of (+ ing.)
test out, for
testify to, for, against
thank for (+ ing.)
thaw out
theorize about
thicken up
thin out, down
think up, out, to, on, over, about (+ ing.), for, back, through, upon, of (+ ing.)
thirst for

thrash out, about, around, through
thread through
threaten with
thrill with, to (pass.), at (pass.)
thrive on, upon
throb with, away
throng out, in, into
throttle down, back
throw up, out, in, to, on, over, down, about, into, off, away, around, back, at, upon
thrust up, out, in, on, from, down, into, away, back, at, through, upon, against, towards, forward
thud into, against
thumb through
thump out, on
thunder out, against
tick over, off, away
tide over
tidy up, out, away
tie up, in, with, to, on, down, into, back
tighten up
tilt up, back
tinge with
tingle with
tinker with, about, around
tip up, out, in, with, over, into, off
tiptoe up, out, in, to, on, from, over, down, about, into, off, away, around, back, through, upon, round, out of, by, along, towards, forward, forth, across
tire out, of (pass.) (+ ing.)
toady to
toddle up, out, in, to, on, from, over, down, about, into, off, away, around, back, through, upon, round, out of, by, along, towards, forward, forth, across
tog up, out
toil up, out, in, to, on, from, over, down, about, into, off, away, around, back, through, upon, round, out of, by, along, towards, forward, forth, across
toll for
tone up, in, down
tool up
top up, out, off
topple from, over, down
torment with (pass.)
toss up, in, down, about, for, into, off, away, around, back, at
totter out, in, to, into, out of
touch up, in, to, on, down, for, off, upon
toughen up
tout about, for, around, as (pass.)
tow away
towel down, off
tower over
toy with
trace out, to, over, back
track up, in, down
trade in, on, down, for, off, upon
raffic in
trail up, out, in, to, on, from, over, down, about, into, off, away, around, back, through, upon, round, out of, by, along, towards, forward, forth, across
train up, on, for, upon
traipse up, out, in, to, on, from, over, down, about, into, off, away, around, back, through, upon, round, out of, by, along, towards, forward, forth, across
trample out, in, on, down, upon
transact with
transfer to, from
transfix with (pass.)
transform into
translate in, to, from
transmit to
transmute in
transport with (pass.), to
transpose into
trap in, into (+ ing.)
travel in, to, on, from, over, by
tread out, in, on, down, into, upon
treasure up
treat to, for, of, as
trek to
tremble with, from, for, at
trench on, upon
trend to, towards
trespass on, upon, against
trick up, out, into (+ ing.), out of (+ ing.)
trickle out, in, down, into, away, out of
trifle with, away
trigger off
trim down, off, away
trip up, out, into, to, on, from, over, down, about, into, off, away, around, back, through, upon, round, out of, by, along, towards, forward, forth, across
triumph over
troop out, in, into, off, out of
trot up, out, in, to, on, from, over, down, about, into, off, away, around, back, through, upon, round, out of, by, along, towards, forward, forth, across
trouble with (pass.), over, about, for
truck in, for

truckle to
trudge up, out, in, to, on, from, over, down, about, into, off, away, around, back, through, upon, round, out of, by, along, towards, forward, forth, across
true up
trump up
trumpet forth
trundle up, out, in, to, on, from, over, down, about, into, off, away, around, back, through, upon, round, out of, by, along, towards, forward, forth, across
truss up
trust in, with, to, for
try out, on, over, for
tuck up, in, down, into, away
tug at
tumble out, to, on, over, down, for, into, off, upon
tune up, out, in
tunnel into, through
turf out
turn up, out, in, to, on, from, down, about, about, into, off, away, back, upon, round, against, towards
tussle with
tutor in
twiddle with
twine around, round
twinkle with
twist up, into, off, around, round
twit with
type up, out, in, as
tyrannize over
unbosom to
unburden to, of
undeceive of
understand by
unfasten from
unfit for
unfold to
unify with, into
unite in, with, into
unleash on, upon
unload on, upon
unpin from
unstrap from
upbraid with, for (+ ing.)
upgrade to
upholster in, with
uproot from
urge to, on, upon, along, forward
use up, to (pass.) (+ ing.), for, as
usher out, in, into, out of
usurp from
utilize for
vaccinate against
value for, at, as
vamp up
vanish from, away
vary in, with, to, from
vault over
veer to, from, off, round
vent on, upon
venture out, on, upon, forth
verge on, into, upon
vest with
vex with, at (pass.)
vie in, for
vindicate to, for
visit with, on, upon
vociferate against
volunteer for (+ ing.)
vomit out
vote in, on, down, for, through, upon, against
vouch for
waddle up, out, in, to, on, from, over, down, about, into, off, away, around, back, through, upon, round, out of, by, along, towards, forward, forth, across
wade up, out, in, to, on, from, over, down, about, into, off, away, around, back, through, upon, round, out of, by, along, towards, forward, forth, across
waffle about
wager on
wail over, for
wait up, out, in, on, about, for, around, upon
wake up, to, from
waken to, from
walk up, out, in, to, on, from, over, down, about, into, off, away, around, back, through, upon, round, out of, by, along, towards, forward, forth, across
wall up, in, on, round
wallow in
waltz up, out, in, to, on, from, over, down, about, into, off, away, around, back, through, upon, round, out of, by, along, towards, forward, forth, across
wander on, from, about, around
wangle out of
want in, back
war over, against
ward from, off
warm up, over
warn about, off, against (+ ing.), of

wash up, out, over, down, off, away
waste on, away
watch out, over, for
water down
wave to, on, about, away, around, at
wean from
wear up, out, on, down, off, away, through, upon
weary with, of (+ ing.)
weather through
weave in, from, through
wed to (pass.)
wedge up, in
weed out
weep over, about, for, away
weigh up, out, in, with, on, down, upon
weight down, against
welcome in, with, to, back
well up, out, over
welter in
wet out, down, off
whack up, off
wheedle out, into (+ ing.), out of (+ ing.)
wheel out, in, about, away, around, round
wheeze out
while away
whip up, out, in, to, on, from, over, down, about, into, off, away, around, back, through, upon, round, out of, by, along, towards, forward, forth, across
whirl up, out, in, to, on, from, over, down, about, into, off, away, around, back, through, upon, round, out of, by, along, towards, forward, forth, across
whirr up, out, in, to, on, from, over, down, about, into, off, away, around, back, through, upon, round, out of, by, along, towards, forward, forth, across
whisk off, away
whisper about, around
whistle up, for
white out
whittle down
widen out
will to, away
win out, over, away, around, back, at, through, round
wince at
wind up, in, on, down, into, off, back, through
wink away, back, at
winkle out of
winnow out
winter in, over
wipe up, out, over, off, away
wire up, in, for, off
wish on, for, away, upon
withdraw in, from
wither up, away
withhold from
witness to
wobble about, around
wolf down
wonder about, at
woo into (+ ing.), away, out of (+ ing.)
work up, out, in, to, on, over, into, off, away, at (+ ing.), through, upon, round, by (pass.), against, towards, as
worm in, through, out of
worry out, over, about, at, through, along
wound in
wrangle over, about
wrap up, in, around, round
wreathe in (pass.), about, into, round
wrench from, off
wrest for, off
wrestle with, into
wriggle up, out, in, to, on, from, over, down, about, into, off, away, around, back, through, upon, round, out of, by, along, towards, forward, forth, across
wring out, from
wrinkle up
write up, out, in, to, on, down, for, into, off, away, back, upon, against, of
writhe at
yammer for
yank up, out, in, on, off, away, at
yap away
yearn for
yell out, with, for
yield up, to
zero in
zigzag up, out, in, to, on, from, over, down, about, into, off, away, around, back, through, upon, round, out of, by, along, towards, forward, forth, across
zip up, out, in, to, on, from, over, down, about, into, off, away, around, back, through, upon, round, out of, by, along, towards, forward, forth, across
zone for, off
zoom up, out, in, to, on, from, over, down, about, into, off, away, around, back, through, upon, round, out of, by, along, towards, forward, forth, across

Imprimé en France par I.M.E. - 25110 Baume-les-Dames
Dépôt légal n° 18630 - Janvier 2002 - N° Imprimeur : 15571